Istvár Lázár

KLEINE GESCHICHTE
UNGARNS

ÖBV–CORVINA

Originaltitel: Kis magyar történelem,
Gondolat Kiadó, Budapest 1989
Aus dem Ungarischen von Álmos Csongár
Landkarten von Ágoston Dékány
Auf dem Einband: Die Heilige Krone Ungarns
(Foto: Károly Szelényi)
© István Lázár, 1990
ISBN 3–215–07271–8 Österreichischer Bundesverlag, Wien
Vertrieb nur in Österreich, der Schweiz, der Bundesrepublik
Deutschland und West-Berlin
ISBN 963 13 2897 X Corvina Kiadó, Budapest

Einleitung

Reiter verlassen das Dickicht. Die kurzbeinigen, stämmigen Pferde mit zottiger Mähne trotten mühsam, schweißtriefend den tannengesäumten Bergpfad hinan. Auf der Höhe des Gebirgspasses halten die Reiter an. Die Augen in die Ferne gerichtet, spitzen sie die Ohren und lauschen nach hinten. Ist das die Vorhut oder bereits die Hauptmacht? Bloß Kriegsvolk oder alle mitsamt: Greise, Weiber, Kinder und Packwagen? Stoßen sie eroberungslustig vor, oder fliehen sie geschlagen? Wir wollen vorerst nicht nach Details, Umständen und Gründen fragen, gleichviel ob eine Antwort zu erwarten wäre oder nicht.

Reiter in dichten Scharen. Über der Schulter tragen sie Bögen, aus Hornplatten zusammengefügt, die ein Leim aus Häuten und Knochen verbindet. Griff und Enden der mit Hirschsehnen fest umwickelten Bögen sind aus Geweih. Im Köcher links an der Hüfte ein Bündel Pfeile mit Eisenspitze, rechts ein orientalischer Säbel mit krummer Klinge, einseitig geschliffen. Der Sattel ist hochgestellt, vorne und hinten stark nach oben gebogen. Dies und der awarische Steigbügel erlauben es den Reitern, im Kampf die Zügel loszulassen und beide Arme zu gebrauchen. So können sie beim Angriff oder auf der Flucht – die sie oft nur vortäuschen – ein Gewitter von Pfeilen auf den Feind niederprasseln lassen. Wie die Kentauren sind sie mit ihren Pferden verwachsen, die auf bloßen Kniedruck oder Anruf davonsprengen, wenden, innehalten.

Reiter auf dem Marsch in ein neues Land. Ihr zu zwei

Zöpfen geflochtenes Haar ist hinten zu beiden Seiten mit einer Scheibe aus Messing, bei den Hauptleuten aus Gold, zusammengehalten. Letztere tragen einen reichverzierten Ledergurt um die Hüften und einen kleinen Beutel für ihre Habseligkeiten, den eine ziselierte Platte in Form eines bauchigen U bedeckt. Sie alle sind abgehärtet wie Steppenwölfe, aber sie lieben den Pomp, wie das bei Herren aus dem Orient so üblich ist.

Sie dringen von Osten nach Westen vor und überqueren südwärts die Gebirgskette. Der Schrecken, den sie im christlichen Europa verbreiten, wird den Psalmen in Klöstern und Kirchen zwei flehende Zeilen hinzufügen: „Von den Pfeilen der Magyaren . . .", wird der Vorsänger zum Himmel rufen, „errette uns, o Herr!", wird der Chor kräftig einstimmen.

Die Magyaren des Fürsten Árpád . . .

Da stehen sie nun oben auf den Gipfeln der Karpaten, auf der Höhe des Vereckepasses. An der Grenze einer unbekannten Welt? Mitnichten! Sie waren einst schon hiergewesen. Vielleicht ist dies das Land, von dem die Legenden ihrer Väter berichten, ein rechtmäßiges uraltes Erbe, das es nun wiederzugewinnen gilt. Oder haben das erst später die um die Gunst der jeweiligen Herrscher buhlenden Chronisten ersonnen? Waren schon vor Zeiten ungarische Scharen hierher vorgedrungen? Wir wissen es nicht. Uns ist lediglich bekannt, daß sie bereits im Jahr zuvor und auch schon früher des öfteren hier umherschweiften. Den Reitern, die jetzt vom Karpatenpaß herabblicken, ist die zu ihren Füßen liegende Landschaft vertraut. Dort unten erwarten sie wohlschmeckendes Wasser und saubere Luft, die Mensch und Vieh gleichermaßen gedeihen lassen, und eine, wie sie erfahren haben, fette Erde, die sich vorzüglich zum Pflügen und Säen eignet.

Sie sind gekommen, um sich hier niederzulassen.

Der von Árpád geführte Heeresteil überquerte, so besagen unsere geschichtlichen Kenntnisse und Vermutungen, im Jahr des Herrn 895 den Vereckepaß und die umliegenden Bergpässe und stieß in die weite Ebene des Karpatenbeckens hinab, das als Schutz vor Feinden geeignet erschien.

Im Jahr 895?

Zu jener Zeit, also im Jahrzehnt von 890 bis 900, entsteht gerade Frankreich auf den Trümmern des Reiches Karls des Großen. Indem die Kapetinger die lange für unbezwingbar gehaltenen Normannen das Fürchten lehren, begründen sie ihre eigene Hausmacht. Im Westen schlagen sich auch die deutschen Karolinger mit den Normannen, während sie im Osten nach Verbündeten gegen das slawische Großmährische Reich des Swatopluk Ausschau halten. (Wir werden bald sehen, mit wem sie sich verbünden.) Der dritte Zweig der Karolinger schließlich hat erst unlängst mit byzantinischer Hilfe die arabischen Eroberer aus dem Süden verjagt, um dann den italienischen Stiefel zwischen der eigenen Familie und dem Papst zu teilen.

Dagegen befindet sich ein nicht geringer Teil der Iberischen Halbinsel seit langem fest in der Hand der Araber. Im Kalifat der Omajjaden in Córdoba herrscht damals ein gewisser Abdullah. Es zeigt sich bereits die geistige Blüte, in deren Folge sich das Zentrum der europäischen Wissenschaft in diese islamische Einflußzone verlagert. In Skandinavien läßt sich bald der eine, bald der andere Wikingerkönig zum Christentum bekehren, aber noch lange Jahre wird immer wieder das unruhige heidnische Blut in dem auch nach der dänisch-norwegisch-schwedischen Dreifaltigkeit gegliederten Skandinavien durchbrechen. Jenseits des Kanals hat auf irischem Boden gerade der norwegische König Fuß gefaßt. Der englische König Alfred I. muß einen demütigenden Frieden mit den eingedrungenen Dänen schließen, indem er ihnen Ostengland überläßt. Er will für den Bau einer Flotte und die Aufstellung eines Heeres Zeit gewinnen, um dann zum Gegenangriff überzugehen. Am dalmatinischen Ufer der Adria sind Ragusa, Zara, Spalato, Trau, Cattaro und Antivari zu wahrhaften kleinen Stadtstaaten geworden. Auf russischem Boden fördern die streitbaren Waräger (Wikinger), die auch hier aufkreuzen, die Machtkonzentration der Fürstentümer, wobei sie rasch mit den Einheimischen verschmelzen und zu Slawen werden. In Byzanz entstehen mit viel Fleiß die Basiliken, das große Gesetzeswerk Kaiser Leons VI. des Weisen, indes ringsum alle Grenzgebiete des Oströmischen Reiches in Flammen stehen.

Zur Vorgeschichte des Raumes

Was war das für eine Landschaft, in der sich die Magyaren Árpáds niederlassen wollten?

War es etwa verödetes Steppenland? Über Hunderttausende von Jahren unbewohnt, nur kümmerlich bewachsen, ein Land, auf dem die Tiere frei umherschweiften, unbehelligt vom Menschen? Vor knapp hundert Jahren stritten sich die Wissenschaftler darüber die Köpfe heiß. Vor allem die Geologen behaupteten, daß im Karpatenbecken in der Eiszeit keine Menschen gelebt hätten. Doch das Zeugnis zufälliger Funde ließ sich nicht lange übergehen. Man schritt zu Ausgrabungen, die die urzeitliche Landkarte des Raumes mit Zeichen füllten. Das gilt sowohl für das alte historische Ungarn wie auch für das Territorium des durch den Friedensvertrag von Trianon im Jahr 1920 auf einen Bruchteil geschrumpften Landes. Von diesen Landkartenzeichen können wir lediglich einige zusammenhanglos herausgreifen.

In Vértesszőlős, kaum einen Sprung entfernt von der Ausfallstraße M1 Budapest–Wien, wird eine der ältesten menschlichen Lagerstätten Europas gehütet. Der Besucher sieht Werkzeuge, versteinerte Fußspuren und eine genaue Nachbildung des Nackenknochens des Urmenschen, den seine Entdecker Samuel benannt haben. Er fertigte grobe Werkzeuge aus Kieselstein an, kannte bereits das Feuer, das er mit glühenden, fetten Knochen nährte. Etwa vor 350 000 bis 400 000 Jahren, über Hunderte von Generationen suchte dieser urzeitliche Menschentyp die Gegend auf,

9

deren Thermalquellen und mildes Klima er genoß. Er gehörte zur Gattung des „aufrecht gehenden Menschen", des *homo erectus*. Aufgrund des geschätzten Hirnumfangs und der Werkzeuge wurde er *homo sapiens palaeo-hungaricus* genannt. War er das erste Lebewesen, das das Prädikat *sapiens* verdiente?

Die Fundstelle hat, abgesehen von ihrem Alter, noch eine andere große Bedeutung: die Vollständigkeit, mit der sie von einem zuweilen unterbrochenen, aber doch sehr langen Aufenthalt zeugt. Im Kalkstein des Quellwassers blieben Lager und Feuerstätte, eine Menge von Werkzeugen, Knochen von Beutetieren sowie auch Abdrücke von Pflanzen erhalten, die Aufschlüsse über das damalige Klima geben. Die Überreste haben sich in mehreren Schichten abgelagert. Ihre genaue Analyse läßt erkennen, wie die Werkzeuge stets um eine Nuance weiterentwickelt und sorgfältiger bearbeitet wurden. Das Tempo der menschlichen Evolution läßt sich hier nahezu mathematisch genau bestimmen. Äußerst interessant ist dieser Fundort, ungeachtet der vielen Ungewißheiten, die es über den 1965 ausgegrabenen Samuel noch immer gibt. Fraglich bleibt sogar, ob der „Besitzer" des Nackenknochens an der Fundstelle seine Beute verzehrt hatte oder ob er selber gefressen worden war.

Etwa 35 000 bis 40 000 Jahre zuvor wurde auch das Karpatenbecken vom später vermutlich ausgestorbenen, nicht zu unseren unmittelbaren Vorfahren zu rechnenden Neandertaler Urmenschen bevölkert, dessen Stämme sich auf das Jagen einzelner Tierarten „spezialisierten". In der Gegend des heutigen Érd, unweit von Budapest gelegen, wurde so Jagd auf den Höhlenbären gemacht (der diesen Namen übrigens zu Unrecht trägt). Im Gebiet des heutigen Tata, wegen seiner Thermalquellen als Siedlungsraum beliebt, war das junge Mammut die bevorzugte Beute, im Bükkgebirge, bei der Subalyuk-Höhle, das Steinwild.

Aus der kaum faßbaren Ferne von 400 000 bis 40 000 Jahren wollen wir einen weiten Sprung in das Jahr 4000 vor unserer Zeitrechnung machen. Von einem Bruchteil der Urbevölkerung – die mit Árpáds Landnehmern verschmolz – kann laut anthropologischen Untersuchungen gesagt werden, daß er zur Zeit der Landnahme schon seit 4 000 bis 5 000 Jahren am gleichen Ort gelebt hatte – eine seltene Erscheinung in der an Völkerwanderungen reichen Geschichte Europas. Die Wahl unseres dritten zeitlichen Schnitts ist noch durch eine besondere historische Erscheinung begründet: die anhaltende Stagnation der neolithischen Entwicklung in unserem Raum. Die Nahrungsmittelproduktion, die Kenntnis von Viehzucht und Ackerbau, hatte nicht lange zuvor vom Zagros-Gebirge und von Mesopotamien her, unvermittelter noch aus Kleinasien und dem östlichen Mittelmeerraum das Karpatenbecken, vor allem die südliche Tiefebene, erreicht. Doch für eine Zeit war sie dann hier und in einem Teil Siebenbürgens ins Stocken geraten.

Damals entstand eine verblüffende Situation, die es zuvor nicht gegeben hatte und die sich später nicht wiederholen sollte: Östlich der Donau war die Kultur höher als westlich von ihr. Ein Teil der Tiefebene bildete das Randgebiet des damaligen höchstentwickelten Zivilisationszentrums. So weit reichte die unmittelbare Ausstrahlung der Kultur des Mittelmeerraumes, wohl aus „erster Hand" durch Völkerwanderung vermittelt. In den westlicher und nördlicher gelegenen Gegenden hingegen ist auch später nur ein mittelbarer Einfluß erkennbar. Sogar eine Hemmwirkung läßt sich feststellen.

Dieser etliche Generationen bestehende Entwicklungsunterschied war offensichtlich durch Natur und

Klima bedingt. Der wasserreiche, schlammige Boden der Tiefebene begünstigte Seßhaftigkeit und Ackerbau. Ein Beweis dafür ist jene markante Siedlungsform, deren Name deutlich auf den Nahen Osten verweist: der „Tell", ein besiedelter Hügel. Sein Vorkommen in Europa erreichte hier die Grenze. Als die Kenntnis des Ackerbaus sich weiter nach Westen verbreitete, begann in Transdanubien, im späteren Pannonien, eine Rodungswirtschaft. Es entwickelten sich bereits Gebäude- und Dorftypen, doch wurde häufig weitergezogen, da sich der Boden rasch erschöpfte.

Freilich erreichten die Tells in der südlichen Tiefebene an Größe und Reichtum nicht die nahöstlichen uralten Wohnhügel. Erwähnenswert sind aber nicht nur die vielen kultischen und sonstigen Fundobjekte, die Verwandtschaft mit mesopotamischen und mediterranen Zentren bezeugen. Beachtung verdient auch, daß unlängst bei Ausgrabungen in Ungarn die Ruinen eines einstöckigen Gebäudes aus dem Neolithikum entdeckt wurden. Hier haben wir es schon mit Überresten einer neolithischen „Stadt", nicht mehr eines „Dorfes" zu tun.

Zuletzt möchte ich eine Besonderheit erwähnen, die die Vorgeschichte dieses Raumes von der mittleren Steinzeit bis zur Bronzezeit – allerdings mit wechselnder Intensität – beeinflußt hat. Obsidian, ein vorzüglich zu bearbeitendes vulkanisches Glas, kommt in Europa außer in einigen Regionen am Ägäischen Meer und im Kaukasus nur im Karpatenbecken vor, und zwar entlang der Gebirgskette zwischen Eperies und Tokaj, die sich auf Gebiete der heutigen Slowakei und Ungarns erstreckt. Mit diesem überaus kostbaren Mineral – Anlaß plötzlicher Wanderungen oder auch allmählichen Zustroms, zuweilen Gegenstand von Machtkämpfen – wurde, im Rohzustand oder zu Werkzeugen verarbeitet, Tauschhandel betrieben. Mit ihm bildeten sich frühe, entwickelte Formen der Arbeitsteilung heraus. Da heute der Obsidian aus der Ägäis, aus dem Kaukasus und aus Tokaj anhand seiner jeweiligen Zusammensetzung gut zu unterscheiden ist, können wir auch die Beziehungen zwischen den entfernteren archäologischen Fundstellen in Mitteleuropa zu denen im Karpatenraum bzw. in Tokaj feststellen. Ähnlich wie beim Bernstein ist es möglich, anhand von einzelnen Muscheln oder später von diversen Münzen die Hauptwege des Obsidianhandels nachzuverfolgen, die zugleich die Wege der Verbreitung und des Austausches von Kulturen markieren.

Aber auch aus Kupfer-, Bronze- und Eisenzeit mangelt es im Karpatenbecken nicht an interessanten Funden, deren Bedeutung über die Grenzen Ungarns hinausgeht. Die frühen Ackerbauer und Viehzüchter wurden – infolge des etwas trockener gewordenen Klimas – von Hirtenstämmen abgelöst bzw. absorbiert. Die langanhaltende, vor allem aus dem Südosten stattfindende Einwanderung wurde mitunter unterbrochen, später dann abgelöst durch das Eindringen von Steppenvölkern aus dem Nordosten, auch solchen iranischer Herkunft. Die Zuwanderung aus dem Westen, anfangs vereinzelt, wurde später dominierend. In den westlichen Randgebieten entstanden in der Bronze- und der Eisenzeit mehrere durch mächtige Schanzen befestigte Gebirgszentren, deren fremdstämmige, militante Herrscher die Ackerbauer der tiefer gelegenen Umgebung unterwarfen. Indessen stieß ein kleiner Teil eines geheimnisvollen Stammes aus Iberien, der glockenförmiges Geschirr herstellte, in das Karpatenbecken vor, machte im Donauknie halt und vermischte sich mit der dort ansässigen Bevölkerung. Den Anthropologen, der die Spuren von Wanderungen und Vermischungen nachzuverfolgen sucht, bringt zur Verzweiflung, daß von der frühen Bronzezeit an die Toten immer häufiger eingeäschert wurden. Auch in der Bronzezeit kamen Stämme ins Land, die Ackerbau betrieben und Tells bewohnten. Sie bauten verlassene, seit langem unbewohnte neolithische Wohnhügel noch höher aus, legten aber auch neue an. Kupfer-, Bronze- und Eisenzeit waren reich an kriegerischen Auseinandersetzungen, die zuweilen Schrecken verbreiteten, ohne das Bestehende in Frage zu stellen, oft aber auch Wandlungen bewirkten: allmählich und tiefgreifend oder rasch, mit viel Blutvergießen, die Kultur um Jahrhunderte zurückwerfend.

Mit der Eisenzeit ging die Vorgeschichte des heutigen Europas zu Ende, wobei Europa weniger in geographischer als vielmehr in historisch-kultureller Hinsicht gemeint ist. Dieser Halbkontinent erreichte die eigentliche Geschichte zunächst auf flinken griechischen Beinen, später im Schrittmaß von Völkerschaften, die in ihren Sandalen und Bundschuhen aus entfernteren Räumen aufschlossen.

So wollen denn auch wir weit ausschreiten, bis in eine Zeit, in der sich die aus dem Neolithikum bekannte räumliche Gliederung von „zivilisiert" und „barbarisch" bereits ins Gegenteil verkehrt hat. Östlich der Wasserscheide der Donau, in der Tiefebene und im Bergland des Nordens loderten die Wachfeuer von Vortrupps: Barbarische Stämme belauerten beutegierig das reiche Pannonien. Zwischen zwei mühsamen Feldzügen in einem Zeltlager „im Land der Quaden, am Ufer der Gran" (irgendwo gegenüber dem heutigen Esztergom), bei qualmender Funzel, schrieb Marc Aurel seine „Erinnerungen"; der Kaiserphilosoph, der letzte Stoiker, der das Herrschen nicht mochte und das Kriegführen noch weniger.

Die Provinz Pannonien verdankt ihren Namen zwar

den weiter im Süden lebenden pannonischen Stämmen, aber die römischen Legionen, die vom Südwesten her in das Karpatenbecken eindrangen, mußten hier vornehmlich keltische Stämme unterwerfen und befrieden. Auffallend ist, daß die damals längst seßhaften Stämme dieser äußerst dynamischen Volksgruppe, deren einer Zweig noch kurz zuvor Rom verwüstet hatte, kaum Widerstand leisteten. Sie ließen sich viel friedlicher integrieren als die vom Balkan herauf vorstoßenden Daker. Um deren Pazifizierung kämpften die Legionen im Gebiet des heutigen Siebenbürgens und jenseits der Karpaten. Unterschiedlich sind deshalb Geschichte und Schicksal beider Teile des Karpatenbeckens, die zeitweilig dem römischen Imperium zugehörten; des heutigen Transdanubiens und Siebenbürgens (heute bei Rumänien). Dazwischen erstreckt sich die Tiefebene: ein eingekeilter Streifen, der von Barbaren iranischer Herkunft bewohnt wurde, von Sarmaten – Jazygen und Roxolanen –, die sich den Römern einmal offen feindselig zeigten, ein andermal mit ihnen in lockerem Bündnis standen.

Die Herrschaft der Römer in Pannonien dauerte volle vier Jahrhunderte – von den ersten Jahren unserer Zeitrechnung bis zum Beginn des 5. Jahrhunderts. In diesem Zeitraum ermöglichte der entlang der Donau errichtete Grenzwall *(limes)* – trotz gelegentlicher Überfälle der Barbaren und trotz einiger Unruhen im Inneren – eine günstige wirtschaftliche Entwicklung. Dagegen währte die Oberhoheit Roms in Dakien viel kürzer – von 106 bis 268/271, also kaum länger als anderthalb Jahrhunderte, während derer häufig massive Aufstände die Entwicklung hemmten. Die Herrschaft der Römer war dort auch niemals vollständig, da einzelne dakische Gruppen in ihren hochgelegenen Erdburgen unabhängig blieben. Dies widerspricht all den Theorien von einer

15

starken Romanisierung der Daker, dem Verschmelzen von dakischer und römischer Bevölkerung und der kontinuierlichen Existenz dieses vermeintlichen Ethnikums. Es widerspricht einer Betrachtungsweise, in der die Geschichte Siebenbürgens, der Moldau und der Walachei nichts anderes ist als der permanente Unabhängigkeitskampf der prärumänischen bzw. der rumänischen Bevölkerung. Viel komplizierter waren in Wahrheit die Herausbildung des rumänischen Volkstums – seiner Geschichte und seines Territoriums – wie auch die Geschichte der Besiedlung dieses Raumes sowie der Volksgruppen, die nach und nach dort auftauchten und heute vermischt miteinander leben: Das rumänische Volk ließ sich in den einzelnen Gebieten des Raumes erst später und im Laufe eines langen Zeitraumes nieder.

Die Versuchung ist groß, in unser Thema tiefer einzudringen. Es gibt eine Unmenge von Quellenmaterial. In der ungarischen Archäologie stand das Zeitalter der Römer stets – und vielleicht übertrieben – im Vordergrund. Pannonien gehört zu den am besten erforschten Provinzen. Aber nicht nur die Bilder antiken Lebens, farbenprächtig wie Mosaiken, bieten sich an. Pikant ist auch der Umstand, daß Pannonien in der späten Kaiserzeit jene Provinz war, die den Kaiser „machte". Wegen der prekären Lage des Limes war dort eine sehr starke Militärkraft konzentriert. Ihre relativ nah zu Rom stationierten Legionen konnten rasch gegen die Hauptstadt in Marsch gesetzt werden. Sie stürzten Herrscher oder brachten sie auf den Thron. Das ging so weit, daß man im 3. Jahrhundert – „wedelt der Schwanz mit dem Hund?" – von der „Weltherrschaft Pannoniens" sprach. Aber gerade die vielen Putsche und Garnisonsmeutereien sowie der häufige Wechsel der Legionär-„Juntas" waren einer der Gründe, daß schließlich die barbarischen Germanen nicht mehr auf Pannonien und die sarmatische Tiefebene gierig stierten, sondern an Roms Toren rüttelten.

Die rasch auf Pannoniens Talmiglanz folgende Verwüstung erreichte große Ausmaße. Zwar mag es erschüttern, wenn Archäologen in den Winkeln von Villen, Palästen und Badehallen elendes Gelumpe entdecken: Die Gelegenheitsunterkünfte der umherstreifenden Hirten und Ackerbauer kleben wie Schwalbennester an den Quadern. Dennoch gibt es manche Zeichen der Kontinuität des Lebens. In einigen Städten und Lagern finden sich noch Spuren der pannonischen Bevölkerung, die auch während der Völkerwanderung am Ort verharrte. Das urbane Leben kam nicht völlig zum Erliegen. Am Sockel des Aquädukts im einstigen Aquincum, am Rande Budapests, läßt die dicke Wassersteinablagerung vermuten, daß diese Wasserleitung noch lange nach Ende der römischen Herrschaft benutzt wurde. Ferner sind uns christliche Bistümer bekannt, die in Pannonien noch in der Zeit zwischen 570 und 580 bestanden. Eines davon ist Savaria (heute Szombathely), wo – im Jahr 316 oder 317 – Martin als Heide, aber bereits in eine christlich werdende Umgebung hineingeboren wurde. Jener Martin, der nach dem Vorbild seines Vaters zunächst Soldat wurde, und zwar in Italien Offizier der berittenen Leibgarde, später jedoch Bischof von Tours und schließlich Schutzheiliger von ganz Gallien. (Sein Tag ist der 11. November.)

Nach dem allmählichen Abzug der römischen Legionen wurde die Region von den berüchtigten Hunnen überflutet. Mehr noch: Das Zentrum dieses überaus militanten, aber instabilen Nomadenreiches, das ein loses Völkergemisch vereinte, lag in seiner Glanzära, zu Zeiten der „Gottesgeißel" Attila, in diesem Raum. Entweder in der südlichen Tiefebene, südlich von Szegedin, im heutigen Grenzgebiet zwischen Ungarn und Jugoslawien, oder auf dem Boden des heutigen Óbuda (vielleicht auch an beiden Orten, als Sommer- und Winterlager?), wo sich auch die Römersiedlung Aquincum befunden hatte, die im hunnisch-ungarischen Sagenkreis mit dem Namen Sicambria als Attilas Stadt beschrieben wird. In manchen uralten gallischen Legenden – wiederum eine Beziehung zu Frankreich – wird Pannonien als der Ort geschildert, wo die Vorfahren der Gallier auf der Flucht aus Troja auf ihrer Jahrhunderte währenden Wanderung lange gelebt hätten, bevor sie nach Westeuropa weiterzogen.

Was wäre noch aus der stürmischen Zeit der Völkerwanderung zu erwähnen? Den Weg eines der germanischen Völker, die oft in Pannonien weilten, kennen wir mit einer für jene Zeit ungewöhnlichen Genauigkeit. Die aus dem Elbetal vertriebenen Langobarden kamen 546 in größeren Gruppen. Entlang der Donau besetzten sie die nördlichen und die östlichen Randgebiete Pannoniens, die freilich nicht unbewohnt waren. Doch im Jahr 568 zogen sie bis auf den letzten Mann, was damals äußerst selten war, weiter nach Südwesten, über die Alpen hinweg. Sie gründeten in Italien die Lombardei.

In die von ihnen geräumte Gegend drang von Osten her ein in den Steppen Eurasiens abgehärtetes, kampflustiges Nomadenvolk: die Awaren. Die Nachfahren des zurückgebliebenen Restes sind noch heute im Kaukasus anzutreffen. (Die Kontinuität des dortigen Awarentums wird allerdings von manchen bestritten.)

Ganz anderer Art sind die Schwierigkeiten, die uns die Awaren bereiten. Die 300 Jahre während, blutige, jedoch nicht eindeutig „awarische" Herrschaft über das Karpatenbecken ist laut Sachfunden und anthropologischen Angaben in zwei Perioden unterteilt. Es taucht die Frage auf, ob wir Ungarn nicht mit dem Volk identisch sind bzw. waren, das die Archäologen als Spätawaren bezeichnen – im Gegensatz zu den Frühawaren, mit denen wir kaum verwandt sind.

Dazu müßte man allerdings klären, wer die Magyaren eigentlich sind.

Von irgendwoher muß man stammen

Ein Wunderhirsch huscht zu Beginn dieses Kapitels an uns vorüber. Er trägt ein wunderbares, von einer Glorie umleuchtetes Geweih. Auf seiner Spur sprengen zwei Prinzen auf feurigen Rossen, von Jagdfieber gepackt. Und der Wunderhirsch lockt sie fort, lockt sie immer tiefer in das Sumpfgelände, schon seit Tagen. Dann ist er plötzlich verschwunden. Keine Spur bleibt zurück. Doch da vernehmen die enttäuschten Jünglinge, die auf die Namen Hunor und Magor hören, fröhliches Lachen und Gesang. Sie steigen von den Pferden und gehen den Stimmen nach, bis an einen See, in dem zwei wunderschöne Mädchen planschen. Es sind die Töchter von König Dul, die kreischend zu entkommen versuchen. Die jungen Männer schwingen sich auf die Rosse, jagen ihnen nach. Sogleich sind sie in Liebe entflammt. Hunor nimmt die eine, Magor die andere zur Frau. Die Nachfahren Hunors sind die Hunnen, die Magors die Magyaren ... An diese Sage über unseren Ursprung erinnere ich mich aus meiner Kindheit. Die aufeinander reimenden Namen impften mir das Bewußtsein hunnisch-ungarischer Verwandtschaft ein, noch bevor ich lesen konnte.

Dieselbe märchenhafte Geschichte klingt in der um 1283 entstandenen Chronik „Gesta Hungarorum" etwas düsterer und – unabhängig von ihrem Wahrheitskern – viel realer. Hunor und Magor, Söhne des Stammesfürsten Ménrót, wohnten in eigenen Zelten, waren also schon erwachsen. „Eines Tages geschah es, daß bei der Jagd in der Steppe plötzlich eine junge Hirschkuh vor ihnen auftauchte und, als sie ihr nachsetzten, in die Sumpfgegend von Maeotis floh. Da sie ihren Augen völlig entschwand, suchten sie lange nach ihr, fanden aber ihre Spur nicht. Nachdem sie das morastige Gelände durchmessen hatten, fanden sie, daß es sich zur Viehzucht eigne; sodann kehrten sie zu ihrem Vater zurück, und nachdem sie dessen Erlaubnis erhalten hatten, zogen sie mit all ihrem Viehbestand in das Moor von Maeotis, um sich dort niederzulassen. Die Gegend von Maeotis grenzt an die Heimat der Perser und ist, abgesehen von einer schmalen Furt, vom Meer umgeben, sie hat keine Flüsse, ist aber reich an Wald und Wiesen, an Fisch, Geflügel und Wild. Der Weg hin und zurück ist beschwerlich. Nachdem sie sich also im Moor von Maeotis niedergelassen hatten, verweilten sie dort fünf lange Jahre. Im sechsten Jahr begaben sie sich auf Streifzüge und trafen auf einer Lichtung zufällig auf die Frauen der Söhne des Belár, die ohne ihre Männer, nur mit ihren Kindern, zurückgeblieben waren. Sie entführten sie samt ihrer Habe ins Moor. Von ungefähr hatten sie mit den Kindern auch die beiden Töchter des Dulán mitgenommen; die eine nahm Hunor, die andere Magor zur Frau. Von diesen Frauen stammen die Hunnen allesamt ab."

Wie ist aus dem Hirsch eine Hirschkuh geworden? Wie aus der romantischen Liebesgeschichte ein Raub von Frauen und Vermögen? Warum sind hier die Magyaren nicht gesondert erwähnt? Warum ist nur von Hunnen die Rede? Es lohnt nicht, viele Worte darüber zu verlieren. Erwähnt sei jedoch, daß nach einer anderen Ursprungssage der Ungarn, die sogar eine Jahreszahl (819) nennt, Stammesfürst Álmos, der Urvater der Arpaden, unter wundersamen Zeichen geboren wurde: „ . . . seiner Mutter erschien im Traum eine göttliche Vision in der Gestalt eines Turulvogels, der sich auf ihr niederließ und sie schwängerte." Der Turulvogel – einigen Deutungen zufolge eigentlich ein Adler oder Habicht, am ehesten aber ein Jagdfalke – war das Totemtier des Fürstengeschlechts der Arpaden.

Interessant ist für uns in der ersten Ursprungssage der Ort – die Nachbarschaft von Persien – sowie die Erwähnung des kämpferischen Nomadenlebens: Die zwei Fürstensöhne suchen gute Weiden und rauben hemmungslos Frauen, Kinder und Vieh von Männern eines anderen Volkes, die offensichtlich auf einem Kriegszug sind. In der anderen Sage erscheint offen der mythische Tierahne. Während jedoch die Gründer Roms, Romulus und Remus, von einer Wölfin nur gesäugt werden, schwängert unser Turulvogel selbst die Urmutter (ähnlich wie sich in der griechischen Mythologie Leda mit dem Schwan vereint, in dem sich Zeus verbirgt).

Beide Ursprungssagen führen in den Orient. Der Mythos deutet auf Verwandtschaft mit Iranern und Turkvölkern. Der Hirsch nahm einen hervorragenden Rang in der Mythologie der Skythen ein, die in der Chronik von Simon Kézai sehr häufig erwähnt werden. Bei den Turkvölkern waren es vor allem die geflügelten Jäger – die Raubvögel –, die als Totemtiere verehrt wurden. (In der Mongolei wie in der Regel auch bei den asiatischen Steppenvölkern sind diese Tiere bis heute unantastbar.)

Auf diesem orientalischen mythologischen Erbe fußte später eine langwährende, harte Ideologie. In der ungarischen Führungsschicht war das Bewußtsein „skythischer Herkunft" lebendig, und wer sich als Nachfahre berittener, mit Bogen und Säbel bewaffneter Ahnen bekannte, dem galt neben dem Kriegshandwerk nur die Jagd als herrengemäße Beschäftigung. Ihre Klassenprivilegien auf mythische Zeiten zurückführend, beriefen sie sich auf uralte Rechte, die angeblich durch Kriegsdienst, Preisgabe ihres Blutes und Absterben ih-

UGRIER

Kama

UGRISCHE VÖLKER

Ananinoer
7. Jh. v. Chr.

PERMIER

Ural

Rostow

KIMEK-STÄMME

ERJA

WOLGABULGAREN

Ananino

MA

MORDWINEN

MAGNA
HUNGARIA
(BASCHKIRIEN)

um 463

PETSCHENEGEN

889

KANGAREN

LEWEDIEN

Wolga

Syr-Darja

Don

Aralsee

HASAREN-REICH

Urgentsch

ALANEN

Amu-Darja

Kaukasus

Kaspisches Meer

Choresm
KALISEN

ABCHASEN

GEORGIER

Tiflis

SAWARDISCHE
UNGARN

ARMENIEN

○ ungarische Stammeszentren
→ Zug der Ungarn
⇐ Petschenegenangriff im Jahr 889
▼ archäologische Fundstätte der
  Ananino-Kultur (600–200 v. Chr.)
⇦ Eindringen der Ananinoer
  und Spaltung der Ugrier

res Geschlechts bezahlt worden seien. Diese Mentalität erfuhr im 19. Jahrhundert eine Renaissance und kulminierte im Fieber des nationalen Hochgefühls anläßlich der Jahrtausendfeier 1896, um dann noch einmal zwischen den beiden Weltkriegen aufzuflammen. Das ganze Land wurde mit einer Unmenge von kleineren und größeren Statuen des Totemtiers, des Turulvogels, überschüttet. (Die größte erhebt sich über Tatabánya, nur wenige Kilometer vom Fundort des Ureuropäers Samuel entfernt. Von weitem ein frappierender Anblick, aus der Nähe ein erschreckendes Monstrum.)

Heute kann man sich kaum vorstellen, welche Empörung zwei Astronomen, die sich auch mit Linguistik befaßten, zu ihrer Zeit auslösten. Die ungarischen Jesuitenpater Miksa Hell und János Sajnovics waren 1768 nach Norwegen gefahren, um auf der Insel Vardø den Vorbeizug der Venus an der Sonne zu beobachten. Da die Beobachtung des Planeten reichlich Muße ließ, begann Sajnovics auf Hells Ermunterung, die Sprache der Lappen zu studieren. Viele ihrer Elemente klangen dem ungarischen Ohr vertraut. Wieder daheim, schrieb Sajnovics eine Abhandlung über die Verwandtschaft zwischen der lappischen und der ungarischen Sprache. So gelangte das ungarische Volk aufgrund seiner Sprache mit einem Mal in den Verband der ausgedehnten finnisch-ugrischen (uralischen) Völkerfamilie.

Die Entrüstung war gewaltig. Die auf die orientalische Blutsverwandtschaft stolz waren, wehrten sich verzweifelt dagegen, auch nur das geringste mit der armen Gevatterschaft aus dem Norden gemein zu haben. Die Verwandtschaft mit Finnen und Esten konnte doch nicht entschädigen für eine Verbindung mit Lappen und damals noch kaum bekannten kleinen finnisch-ugrischen Völkern, die auf nahezu neusteinzeitlichem

Niveau irgendwo im großen Völkerkerker des zaristischen Rußlands lebten!

Während sich jedoch mächtige bronzene Turulvögel in rascher Folge auf Denkmalsockel, Brückenpfeiler und Giebel öffentlicher Gebäude schwangen, wies die Linguistik in anderthalb Jahrhunderten, den Spuren Sajnovics' folgend, unwiderruflich die Zugehörigkeit des Ungarischen zur finnisch-ugrischen Sprachenfamilie nach – aufgrund des dominierenden finnisch-ugrischen Wortschatzanteils und der grammatischen Formen. Auch der Platz des Ungarischen in der Sprachenfamilie wurde genau bestimmt. Als nächste Verwandte haben die Linguisten zwei ugrische Sprachen ermittelt: die der Ostjaken (Chantis) und der Wogulen (Mansis).

Diese kleinen ugrischen Völker werden auch als Volk der Wasservögel bezeichnet, da in ihren Mythen die Schwimmvögel eine ähnliche Rolle spielen wie die Raubvögel bei den Turkvölkern. In den Moorlandschaften, in denen diese Völker leben, sind noch Fischfang und Sammeln ausschlaggebend, während Tierhaltung und Ackerbau aus geographischen Gründen weniger verbreitet sind.

Wer trug den Sieg davon? Der kampflustige Turulvogel oder die sanfte Wildente? Im Grunde keiner von beiden. Die Frage blieb offen. Der Knoten ist so fest geschlungen, daß man ihn, da er nicht zu entwirren ist, wie den Gordischen Knoten mit dem Schwert durchhauen muß. Was die Sprache betrifft, so steht fest, daß sich auf der finnisch-ugrischen Basis der ungarischen Sprache – während der langen Wanderschaft der Ungarn durch Zeiten und Räume, auf der sie sich mit vielen Völkern vermischten – starke iranische, türkische, später auch slawische Schichten ablagerten. Doch ist es schwer, deren Gewicht genau abzuwägen und die sprachlichen Aspekte mit denen von Geschichte, Lebensweise, Wanderschaft usw. in Einklang zu bringen. Doch letzten Endes kann man aus sprachwissenschaftlicher Sicht die starke finnisch-ugrische Beziehung kaum leugnen. Mitte des 20. Jahrhunderts gab es denn auch kaum noch jemanden, der die verschlungenen Pfade der ungarischen Urgeschichte nicht auf Landkarten gesucht hätte, die die Wanderschaften und Ansiedlungen der finnisch-ugrischen Völker festhalten und bis in das Neolithikum zurückverfolgen. Dabei wurde nicht geleugnet, daß die Ungarn auf ihrem Weg ins Karpatenbecken in enge Beziehungen mit Völkern iranischer und türkischer Herkunft kamen (was sich nicht nur auf Sprache und Lebensweise, sondern auch auf die ethnische Zusammensetzung auswirkte). Doch seit einiger Zeit wird ein Gegenangriff geführt. Es gibt Forscher, die aufgrund der Gesta, der alten Chroniken oder sogar der verschwommenen mythischen Ursprungssagen, aber auch aufgrund der Kunst der landnehmenden Ungarn argumentieren. Andere nehmen Knochen zu Zeugen und stellen ihre Untersuchungen in den Grabstätten der Landnehmer wie auch beim heutigen Menschen an. Denn der Anthropologe registriert – man kann es nicht leugnen – auffallend wenige finnisch-ugrische Merkmale, dafür um so mehr türkische und andere. Das stimmt nachdenklich, obwohl uns bekannt ist, daß in der Bevölkerung, die die landnehmenden Ungarn in der neuen Heimat vorfanden und die später mit ihnen verschmolz, das finnisch-ugrische Element sehr gering war. Ebenso wissen wir, daß sich vor der Landnahme der Ungarn – außer den Slawen – auch viele Menschen iranischer und türkischer Herkunft hier angesiedelt hatten. Hinzu kommt, daß sich in den Jahrhunderten nach der Landnahme durch die Aufnahme der Petschenegen, Kumanen und Jassen das orientalische Element auch in genetischer bzw. anthropologischer Hinsicht verstärkte.

Die Aussagen der Sprachwissenschaft und der Anthropologie widersprechen einander heute derart, daß es der Verfasser dieser Zeilen nicht wagt, eine Entscheidung zu empfehlen, und auch keinen beruhigenden Mittelweg sieht. Wissen wir vielleicht nicht genug über die Herausbildung des Sprachgebrauchs, den Austausch zwischen den Sprachen, die Wechselwirkung von ethnischen und sprachlichen Elementen?

Um den gordischen Knoten zu zerhauen, wurde vorgeschlagen, von den Ungarn nur noch als dem Volk im Karpatenbecken zu sprechen, da es erst dort entstanden sei. Das Volk, das unter Árpáds Führung eindrang, hat ja an der Vorfahrenschaft der heutigen Gesamtbevölkerung nur einen kleinen Anteil. Recht groß ist hingegen der Anteil von ethnischen Gruppen, die schon vor der ungarischen Landnahme im Karpatenbecken lebten, im Zuge der Völkerwanderung ins Land kamen oder später einwanderten.

Die Anregung ist frappierend, dennoch akzeptiere ich sie nicht. Wir werden sehen: Die Epoche der Streifzüge nach der Landnahme und später die Staatsgründung setzen einen festen Volkskern voraus, der schon bei der Landnahme bestanden hat, also außerhalb dieses Raumes gereift ist. Das gibt uns das Recht, unbeirrt von den Magyaren Árpáds zu sprechen. Der zuvor zitierte Vorschlag ist jedoch geeignet, die Wegstrecke abzukürzen, die wir von der – in Zeit und Raum – so langen Wanderschaft dieses Volkes, unserer Vorfahren, außerhalb des Karpatenbeckens untersuchen müssen. Wir sollten uns nicht lange dabei aufhalten, was wir über die Herausbildung des frühen Ungartums in den Gegenden des eurasischen Raumes wissen und was wir nur vermuten.

Vertrauen wir uns lieber dem Mönch Julian an. Gehen wir den Weg nach, den er gegangen ist. Der Dominikanermönch Julian brach im Jahr 1235 mit drei Begleitern auf, um Magna Hungaria zu suchen. Allgemein wurde damals als sicher angenommen, daß sich die Ungarn vor der Landnahme gespalten hatten und nur der kleinere Teil nach Westen gezogen war, während das Gros im Osten, in der großen Urheimat verblieb.

Der tapfere Mönch Julian gelangte schließlich als einziger zu denen, die er gesucht hatte. Jenseits der Wolga, in der Gegend des heutigen sowjetischen Baschkiriens, traf er in der Tat auf Magyaren, mit denen er sich gut verständigen konnte. Als er jedoch vom Nahen der mongolischen Heere erfuhr, kehrte er mit dieser Nachricht rasch nach Hause zurück. Zwei Jahre später, im Jahr 1237, machte er sich erneut auf den Weg, um die Bewohner von Magna Hungaria, deren Zahl ihm zwar gering erschien die aber doch beträchtlich war, „heimzurufen", zur Übersiedlung, ins Karpatenbecken zu bewegen. In Susdal angekommen, erfuhr er, daß die Mongolen die restlichen Verwandten in der Umgebung der Wolga hinweggefegt hatten. Die Wiedervereinigung kam nicht zustande.

Soviel ist uns also von unseren direkten Vorfahren bekannt. Aber bis heute können wir nur mutmaßen, wann es am Wolgaknie, in der Umgebung des heutigen Kuibyschew, zur Trennung kam. Sicher ist, daß es nicht kurz vor der Landnahme war, zwischen 300 und 700 kommt jedoch fast jeder Zeitpunkt in Frage.

Damals galt in den riesigen Räumen Eurasiens über Jahrhunderte das Dominoprinzip. Hier und dort gewann die führende Schicht einzelner kämpferischer Nomadenvölker mehr und mehr Macht, unterwarf erst näher gelegene, später auch weiter entfernte, meistens verwandte Völkerstämme. Da das Nomadisieren keine effektive Produktion ermöglichte, waren Expansion, Raub, gelegentliches Brandschatzen oder auch dauer-

30

hafte Kontributionsforderungen das Wesenselement solcher Machtkonzentration. Die anderen Völker, die vom bewaffneten Arm eines solchen „Reiches" erfaßt wurden, was stets mit Verlusten an Gut und Blut verbunden war, ließen entweder die Flut über sich hinwegrollen und versuchten irgendwie zu überleben, oder sie schlossen sich dem Eroberer als Verbündeter oder Vasall an, sich selbst eine Beute sichernd; oder aber sie wichen vor den anstürmenden Reiterheeren in geschütztere Gebiete aus, in die Nähe anderer, widerstandsfähiger Machtkonzentrationen.

Aus ihrer baschkirischen Urheimat jenseits der Wolga wurden die Magyaren möglicherweise von jenen Awaren vertrieben, die dann bis ins Karpatenbecken vordrangen, um es lange Zeit zu beherrschen. Fest steht allerdings, daß um die Mitte des ersten Jahrtausends unserer Zeitrechnung jene Gruppe der Magyaren, aus der das Geschlecht der Arpaden hervorgegangen war, bereits lange Zeit diesseits der Wolga, entlang des mittleren Dons und nördlich des Asowschen Meeres, verbracht hatte. Als sie in diese Gegend kam, fand sie ganz neue wirtschaftlich-gesellschaftliche Verhältnisse vor. Den mit dem Pflug betriebenen Ackerbau hatten sie schon in Magna Hungaria gekannt, aber in der neuen Heimat, die nach einem ihrer Führer Lewedien genannt wurde, begegneten die Ungarn, damals noch vorwiegend nomadische Viehzüchter, einer höheren Entwicklungsstufe: einem Pflug mit schwerem Eisenbeschlag, einer reichen Gartenkultur, einer von Seßhaftigkeit zeugenden Viehhaltung und Architektur. Von der Wirtschaftsweise und Lebensführung der dort lebenden Alanen sowie der Onoguren (Wolgabulgaren), eines Turkvolkes, ging viel auf die Magyaren über.

Der byzantinische Kaiser Konstantinos VII. Porphyrogennetos (912–959), zugleich ein eifriger Geschichtsschreiber, schätzt den Aufenthalt der Ungarn in Lewedien auf drei Jahre. Doch er irrt offensichtlich. Die sprachlichen, wirtschaftlichen und kulturellen Einflüsse lassen eher darauf schließen, daß das Zusammenleben der Alanen, Bulgaren und Magyaren etwa drei Jahrhunderte gewährt hat. (Erinnern wir uns an Hunor und Magor, an die doppelte Hochzeit mit den geraubten Töchtern des alanischen Fürsten.) Was aus ungarischer Sicht Lewedien ist, ist gleichzeitig ein Teil oder Randgebiet des Staatsgebildes der Chasaren, eines weiteren Turkvolks. Das Chasarenreich spielte lange Zeit eine wichtige Rolle, wenngleich seine Größe und seine Ausstrahlung wechselten. Die Ungarn unterstanden der Macht der Chasaren, halfen aber auch den Aufständischen gegen deren Reich.

In der Religion dieses noch ganz heidnischen Volkes vermischte sich das animistisch-schamanistische Element der Finnougrier mit der totemistischen Tierverehrung der Steppenvölker. In Lewedien trafen gleich drei monotheistische Religionen aufeinander. Im Chasarenreich war der Islam verbreitet, das östliche Christentum hatte hier ein Bistum, die führende Schicht aber wechselte plötzlich zum jüdischen Glauben über. (In der Geschichte ist kaum ein ähnlicher Fall bekannt, daß Angehörige einer nichtjüdischen ethnischen Gruppe nicht individuell, z. B. durch Eheschließung, sondern in größerer Zahl den jüdischen Glauben annahmen. Die Erklärung für diese Ausnahme: Da es in dieser Gegend zwar ein muslimisches und ein christliches, nicht aber ein jüdisches Zentrum mit Machtambitionen gab, glaubten die chasarischen Führer bei der Wahl der Religion eine machtpolitische Verpflichtung zu vermeiden.)

Wie jede Machtkonzentration jener Zeit – nicht zufällig sprechen wir hier noch nicht von Nationen und Staaten, geschweige denn von Nationalstaaten – war auch das chasarische Gemeinwesen instabil. Gegen Ende des Aufenthalts der Ungarn in Lewedien wurde das Chasarenreich durch äußere und innere Herausforderungen erschüttert. Die Gefahr kam vor allem von den Petschenegen, einem weiteren Turkvolk, das von Osten her angriff. Unsere Vorfahren begannen westwärts zu ziehen. Eine größere Gruppe von Völkern und Volksteilen des chasarischen Reiches – teils Verbündete, teils Unterworfene – schlossen sich ihnen an. Als Kabaren, untereinander vielleicht in drei Stämme gegliedert, bildeten sie zusammen den achten Stamm der Landnehmer – neben den sieben Stämmen Árpáds. Neben den „weißen" waren sie die „schwarzen" Ungarn. Unter ihnen gab es sicherlich Muslims, womöglich auch Juden; und geringe Teile der Ungarn und der Kabaren mögen sogar christlich gewesen sein.

Noch vor der Mitte des 9. Jahrhunderts, die genaue Zeit wissen wir nicht, tauchten ungarische Vorhuten bereits an der unteren Donau auf, wo sie auf die bekannten Onoguren stießen, die auch bis dort gelangt waren. Um diese Zeit finden wir die Masse der künftigen Landnehmer in Etelköz, im Zwischenstromland, unmittelbar im Vorraum der Karpaten, entlang der Flüsse Dnjepr, Dnjestr, Bug und Seret. Auch hier verbrachten die Stämme ein oder zwei Menschenalter. Dann drängte sie vielleicht erneut der Angriff der Petschenegen zum Aufbruch.

Ihr sakraler Führer war damals Fürst Álmos, ihr militärischer Führer dessen Sohn Árpád, der, wie aus einigen Chroniken hervorgeht (oder von ihren Autoren vermutet wird), von den Führern der anderen sieben Stämme auf den Schild gehoben und dadurch zum Ersten unter Gleichen berufen wurde. Nach einer anderen Version wurde Álmos in der neuen Heimat, diesseits der Karpaten, nach einem auch anderswo üblichen uralten Brauch den Göttern zum Opfer gebracht. (War vielleicht dieser sakrale Fürstenmord die „Vergeltung" dafür, daß die alte Heimat Etelköz wegen der Schwäche des betagten Führers hatte verlassen werden müssen?)

Die Völkerwanderung war noch im Gange, und mit immer neuem Elan drangen unbändige Steppenvölker auf der Suche nach ergiebigeren Weideplätzen von Osten nach Westen vor. Es war schier unmöglich, ihrem Ansturm in dem von Osten her offenen Vorfeld der Karpaten standzuhalten. Die Ungarn aus Etelköz kannten die Küstengebiete entlang des Schwarzen Meeres bis hinunter nach Byzanz, die Balkanhalbinsel und freilich auch das Karpatenbecken, ja westwärts ganz Mitteleuropa gut. Als Verbündete von Byzanz und auch anderer Machtzentren, aber auch auf eigene Faust hatten sie schon lange Streifzüge unternommen. Denn zunächst waren sie nur zum Teil seßhafte, besonnene Akkerbauern, während die übrigen verwegene, herumstreifende Krieger waren; auf die Schätze, die sie erbeuteten – Sklaven, Gold und Silber –, waren sie angewiesen, auch war ihnen das freizügige, kampflustige Umherschweifen zur Leidenschaft geworden. Zur Winterzeit schätzten sie ihr Zuhause, die pompös ausgestatteten Jurten mit den vertrauten Frauen, die treu den Nachwuchs erzogen, aber nicht minder genehm war ihnen der Beischlaf mit erbeuteten Sklavinnen.

Von den Pfeilen der Magyaren . . .

Zwar ist uns die ungarische Urchronik, die „Gesta Hungarorum", im Original nicht überliefert, anhand von mehrfachen Umschriften läßt sie sich aber gut rekonstruieren. Eine der Episoden handelt davon, daß Árpád einen Gesandten und Kundschafter in das Innere des Karpatenbeckens entsendet. Der Auftrag ergeht an Kusid, den Sohn Künds.

„Als Kusid in der Mitte Ungarns eintraf und sich zur Donaugegend begab, fand er den Ort wunderschön, die Erde ringsum gut und fruchtbar, das Wasser des Flusses und die Wiesen vorzüglich, so daß er Gefallen daran hatte. Danach ging er zum Fürsten des Gebiets, der Swatopluk hieß und dort nach Attila herrschte. Er grüßte ihn im Namen der Seinen und trug ihm vor, warum er gekommen sei. Als ihn Swatopluk angehört hatte, freute er sich sehr, da er dachte, daß es sich um Siedler handle, die sich hier niederlassen wollten, um den Boden zu bestellen. Daher entließ er den Gesandten mit froher Botschaft. Kusid kehrte heim, nachdem er seinen Trinknapf mit dem Wasser der Donau gefüllt, seinen Ranzen mit Viehgras vollgestopft und eine Probe vom schwarzen sandigen Boden mitgenommen hatte. Als er erzählt hatte, was er gehört und gesehen, freuten sich alle. Er zeigte ihnen das Wasser, die Erde und das Gras. Nachdem sie das Wasser gekostet und die Erde geprüft hatten, fanden sie, daß der Boden sehr gut, das Wasser süß, das Gras so vorzüglich für das Vieh war, wie es der Gesandte berichtet hatte. Árpád füllte darauf, umgeben von seinen Mannen, sein Trinkhorn mit dem Wasser der Donau und flehte zum allmächtigen Gott, er möge dieses Land für immer den Magyaren überlassen. [. . .] Danach schickten sie Kusid mit gemeinsam gefaßtem Beschluß zu besagtem Fürsten zurück und mit ihm als Geschenk ein großes weißes Roß mit reich vergoldetem Sattel und goldenem Halfter. Als Swatopluk die Geschenke erblickte, war seine Freude übergroß, denn er glaubte, sie seien der Dank dafür, daß er irgendwelchen hergelaufenen Siedlern ein Stück Land überlassen habe. Kusid bat nun den Fürsten, ihm und den Seinen Boden, Gras und Wasser zu geben. Da sagte der Fürst lächelnd: ‚Nehmt für dieses Geschenk soviel ihr wollt.' Damit kehrte der Gesandte zu den Seinen zurück. Daraufhin fielen Árpád und die sieben Stammesfürsten in Pannonien ein, nicht als Gast, sondern als Besitzer des Landes für alle Zeiten. Sodann entsandten sie einen zweiten Boten zum Fürsten und gaben ihm folgende Botschaft mit: ‚Árpád und seine Mannen lassen dich wissen, daß du in dem Land, das sie dir abgekauft haben, nicht länger bleiben darfst, da sie deinen Boden für das Pferd, dein Gras für das Halfter, dein Wasser für den Sattel gekauft haben, und du hast ihnen den Boden, das Gras und das Wasser aus Habgier und wegen deiner Armut überlassen.' Als der Fürst die Botschaft vernommen hatte, sagte er zu seinen Leuten: ‚Schlagt das Pferd mit einem Knüppel tot, werft das Halfter ins Gras, versenkt den Sattel in der Donau!' Darauf entgegnete der Gesandte: ‚Welch Schaden könnte daraus meinem Herrn erwachsen? Wenn du das Pferd erschlägst, gibst du seinen Hunden Fraß, wenn du das goldene Halfter ins Gras wirfst, werden seine Männer es finden, wenn du den Sattel in der Donau versenkst, werden seine Fischer ihn ans Ufer ziehen. Wem Boden, Gras und Wasser gehören, dem gehört alles!' Als der Fürst dies vernahm, bekam er Angst vor den Ungarn, rasch sammelte er sein Heer und bat um Hilfe bei seinen Freunden, mit denen er gegen die Ungarn zog. Diese waren indessen an der Donau angekommen und brachen im Morgengrauen auf einer wunderschönen Wiese zum Kampf auf. Die Götter standen ihnen bei; als Swatopluk der Magyaren ansichtig wurde, nahm er samt seinem Heer Reißaus. Sie verfolgten ihn bis zur Donau, wo er sich vor Schreck in die Flut warf und im reißenden Wasser ertrank."

Dieses historische Märchen von Árpád, der mit einem schlauen Kaufvertrag den slawischen Fürsten Swatopluk überlistete, erinnert auffällig an die Art, auf die Jahrhunderte später die nach Amerika strömenden Weißen die Rothäute übers Ohr hauten. Doch kann die Sage vom weißen Roß überhaupt eine historische Grundlage haben?

Die Ungarn waren also dort angekommen, wo sie noch heute leben. Und nun wollen wir – soweit es geht – sachlich zusammenfassen, was wir einleitend mit Fragezeichen versahen: Im Jahr 895 führt die Hauptmacht der Ungarn aus Etelköz Krieg gegen die Schicksalsgefährten aus Lewedien, gegen die Bulgaren. Diesen Krieg westlich des Schwarzen Meeres führen die Ungarn im Bündnis mit Byzanz oder in seinem Sold – was auf das gleiche herauskommt. Währenddessen erfolgt – vielleicht durch Veranlassung der Bulgaren – der Angriff der Petschenegen gegen das Chasarenreich. Die Kunde davon zwingt die in Etelköz Gebliebenen, aufzubrechen und sich über die Engpässe der Karpaten in das vom Gebirgskranz geschützte Becken zurückzuziehen. Daraufhin kehrt die Hauptmacht erst gar nicht nach Etelköz zurück, sondern begibt sich – fast aus entgegengesetzter Richtung – ebenfalls in das Karpatenbecken. Beide Aktionen zeugen von einer ständigen Nachrichtenkette, von engen Kommunikationsverbindungen. In beiden

Fällen haben wir es mit planmäßigen, obwohl erzwungenen Operationen zu tun.

Dadurch wird auch die romantische Annahme entkräftet, die Ungarn seien lediglich ein flüchtender, zerzauster Männerhaufen gewesen, der Frauen und Kinder verloren hatte und in der neuen Heimat mit erbeuteten Frauen die Fortpflanzung sichern mußte. Dem widersprechen nicht nur die Quellen, sondern auch die Tatsache, daß die Ungarn sich gleich nach der Besetzung des Karpatenbeckens zu neuen kühnen Streifzügen entschließen, was auf ein gesichertes Hinterland schließen läßt. Und weiter: Von den Völkern mit Nomadentradition, die durch die Völkerwanderung in Bewegung gesetzt wurden und bis ins Karpatenbecken vorstießen – Skythen, Sarmaten, Hunnen, Awaren, später Petschenegen, Kumanen und Mongolen –, waren die Ungarn die einzigen, die sich nicht einschmelzen und zerstreuen ließen, die ihre Sprache nicht aufgaben, sondern in der Lage waren, einen bis heute bestehenden eigenen Nationalstaat zu gründen.

Um 895 lebten am Rande des Karpatenbeckens vornehmlich slawische Völkerschaften, dagegen überwog in den Ebenen die awarische Bevölkerung. Indes übte vom Nordwesten her die mährische, vom Westen her, dem ehemaligen Pannonien, die fränkische und vom Süden her die bulgarische Macht ihren Einfluß aus. Von einer wirksamen Herrschaft konnte zu jener Zeit in diesem Raum kaum die Rede sein. Denn sie bedeutete zuweilen nicht mehr, als daß die Oberhäupter der seßhaften, an die Scholle gebundenen, Ackerbau betreibenden Dorfgemeinschaften von den Anführern mal der einen, mal der anderen mobileren und streitbareren Volksgruppe in ihrer Position gestärkt wurden – als Gegenleistung für eine gewisse Naturalsteuer. Die Knochenfunde aus den Grabstätten und sonstige Fundobjekte aus jener Zeit weisen einerseits eine gewisse Gleichartigkeit, anderseits eine stärkere Vermischung auf. Sie zeigen deutlich die Kontinuität, aber auch die Wechselhaftigkeit von Macht, ethnischer Substanz und Kultur, die wechselvolle Vielfalt des dauerhaften Nebeneinanderlebens und der Verschmelzung.

Das Heer des Landnehmers Árpád bestand aus etwa 20 000 Reitern. Auf jeden berittenen Krieger kamen – unseres Wissens – vier oder fünf produktive Kräfte, Bauern und Handwerker, so daß wir die Gesamtzahl der Ungarn auf 100 000 Familien, also auf etwa eine halbe Million Menschen schätzen können. Die Zahl der Bewohner des Karpatenbeckens wird von den Forschern hingegen nur bei 100 000 bis 200 000 angesetzt. Obwohl solche Schätzungen auf stichhaltigen archäologischen, geographischen und demographischen Angaben gründen, vermutet der Autor dieser Zeilen dennoch ausgeglichenere Relationen. Die Kraft der Ungarn beruhte eher auf ihrer Dynamik als auf ihrer zahlenmäßigen Überlegenheit. Auch läßt das vorsichtige Verhalten der Landnehmer darauf schließen, daß sie anfangs ihrer Kraft nicht so sicher waren, wie sie es angesichts ihrer zwei- oder gar zweieinhalbfachen Überzahl und ihrer kriegerischen Traditionen hätten sein können. Nicht beweisbar ist die Hypothese, die Spätawaren, die vor 895 in diesem Raum lebten, hätten zur ethnischen Gruppe der Ungarn gehört (bzw. ihre Sprache gesprochen), seien somit eine Vorhut der Landnehmer gewesen. Noch weniger glaubhaft erscheint die romantische Vermutung, die Szekler in Siebenbürgen und im südwestlichen Transdanubien – die Bewacher der Grenzen – entstammten der Sippe des hunnischen Prinzen Csaba, eines der Söhne Attilas, und dieses Geschlecht sei seit der Herrschaft der Hunnen hier ansässig. Solche Thesen einer engen ungarisch-hunnischen

Verwandtschaft sind konstruiert. Man kann jedoch nicht ausschließen, daß bereits von früheren Streifzügen kleinere Gruppen von Ungarn im Karpatenbecken zurückgeblieben waren, die dann Árpáds Magyaren gute Dienste leisteten.

Mag der Wahrheitskern der Legende vom weißen Roß, wonach die Slawen durch List und Kampf besiegt wurden, noch so gering sein, fest steht, daß sich das Vorrücken der Ungarn im Karpatenbecken für einige Jahre verlangsamte. Zunächst drangen sie nur bis zur Donau vor, während sie das westlich vom römischen Limes liegende ehemalige Pannonien – dieser Name wird in den Chroniken manchmal irrtümlicherweise auf das ganze Karpatenbecken angewandt – erst innerhalb eines halben Jahrzehnts, also gegen Ende des Jahrhunderts in ihre Macht brachten. Doch dann erlangten sie ihre Beweglichkeit zurück. Es verging kaum ein Jahr, ohne daß ihre stürmenden, brandschatzenden Heere in immer entfernteren Gebieten aufkreuzten. Im Norden wateten ihre Rosse im Baltischen Meer, im Westen im Wasser des Kanals, im Südwesten drangen sie bis zur Mitte der Iberischen Halbinsel vor, im Süden warfen sie vom Absatz des italienischen Stiefels einen Blick nach Sizilien. Auf griechischem Boden ließen sie nur den Peloponnes unberührt, während ihnen im Osten der Bosporus den Weg versperrte. „Wie das Messer durch die Butter", so drangen sie durch Völker, Länder und Grenzen.

Ihr heidnisches Legendarium ist voll ruhmreicher Taten: vom Helden Botond, der mit seinem Streitkolben das Eisentor von Byzanz einschlägt; vom Fürsten Lél oder Lehel, der zwar im Westen in Gefangenschaft gerät, aber vor seiner Hinrichtung den deutschen Fürsten Konrad erschlägt, dabei die Worte sprechend: „Du gehst mir voraus und wirst im Jenseits mein Sklave sein." Sein heidnischer Glaube besagt, daß die von ihm

Getöteten „da drüben" seine Sklaven würden. Kloster-
aufzeichnungen sind voll von Schilderungen gottloser
Schreckenstaten der Ungarn. Sie seien die leibhaftige
Teufelsbrut, eine Strafe Gottes. Ein Mönch aus Sankt
Gallen beschreibt, wie sie im Jahr 926 im Kloster kampier-
ten. Der Bericht stammt nicht von einem Augenzeugen,
sondern gründet sich auf Überlieferungen, ist aber von
einer Lebendigkeit, daß man ihm Glauben schenken
muß, was auch immer er enthält. Die Quelle besitzt eine
eigenartige Glaubwürdigkeit: Während die Mönche pa-
nikartig die Flucht ergreifen, bleibt einer von ihnen zurück, da er kein Leder für seine Sandalen erhalten hat.
Dieser Klosterbruder, genannt Heribald, wird vom
Chronisten Ekkehart für etwas beschränkt erklärt.
Nun, er ist unser Augenzeuge. Lachen wir nicht, die
Einfältigen sagen die Wahrheit.

„Dann stürzen sie, bepackt mit Köchern voller Pfeile
und furchteinflößenden Wurfspeeren, herein. Alle Räume untersuchen sie gründlich, und gewiß würden sie nie-
manden, ohne Ansehen von Alter und Geschlecht, verschonen. Nur ihn [den Heribald] treffen sie an, uner-
schütterlich in der Mitte stehend. Sie wundern sich, was
er wolle und warum er nicht geflohen sei. Die Hauptleute befehlen indes den mordbereiten Mannen, keinen
Gebrauch von ihren Waffen zu machen, vielmehr wollen sie ihn mit Hilfe eines Dolmetschers verhören. Als
sie merken, daß sie es mit einem Schwachsinnigen zu
tun haben, fangen sie an zu lachen und schonen sein Leben.

Den steinernen Altar des heiligen Gallus rühren sie
nicht an, da sie schon oft an solchen Stätten nichts außer
Knochen und Asche gefunden haben. [. . .]

Zwei von ihnen erklimmen den Glockenstuhl in der
Annahme, der Hahn auf der Turmspitze sei aus Gold,
der Gott der nach ihm benannten Ortschaft [Gallus =

Hahn] müsse aus Edelmetall gegossen sein. Als der eine sich kräftig hinauslehnt, um den Hahn mit der Lanze niederzustoßen, stürzt er zu Tode. Indes klettert der andere die Ostwand hinauf, um das Heiligtum Gottes zu schänden, und während er Anstalten macht, seinen Darm zu entleeren, fällt er hintüber und bleibt zerschmettert am Boden liegen. [. . .]

Der Hof des Klosters wird von den Hauptleuten in Besitz genommen, sie veranstalten ein üppiges Zechgelage. Heribald ist auch dabei, er ißt sich so satt wie nie zuvor – erzählt er später. Als sich die Eindringlinge zum Schmaus nicht auf Stühle, sondern nach gewohnter Art auf den Rasen setzen, bringt Heribald für sich und einen gefangenen Kleriker Stühle. Die Fremden zerreißen die Schulterblätter und andere Teile der Opferrinder halb roh und ohne Messer, mit bloßen Zähnen. Ausgelassen bewerfen sie sich mit den abgenagten Knochen. Vom Wein, der in Zubern in die Mitte gestellt worden ist, kann jeder ohne Unterschied trinken, soviel er will. Vom Wein in Hitze geraten, beginnen sie allesamt schrecklich ihre Götter anzurufen und zwingen den Kleriker und den Narren, es ihnen gleichzutun. Der Mönch, der ihre Sprache gut spricht, aus welchem Grunde sie sein Leben schonen, schreit nach Kräften mit ihnen. Als er genug in ihrer Sprache gelallt hat, stimmt er unter Tränen die Antiphonie vom Heiligen Kreuz an. Der nächste Tag ist der des Festes der Auffindung des Kreuzes. Obwohl heiser, singt auch Heribald mit. Der ungewohnte Gesang der Gefangenen lockt all die gemeinen Krieger herbei; sie brechen in unbändiges Gelächter aus, lassen ihrem Frohsinn freien Lauf, tanzen und ringen vor den Hauptleuten. Manche messen sich im Waffengebrauch, zeigen ihre Erfahrenheit im Kriegshandwerk."

Bei diesem Satz verlassen wir den braven Mönch Heribald, der vielleicht nicht einmal so einfältig war. Erfahrenheit im Kriegshandwerk – das ist ein Schlüssel zur Erklärung der ungarischen Streifzüge. Sie bedürfen nämlich der Erklärung: Was veranlaßte dieses frischgebackene Volk, aus der erst unlängst eingenommenen Heimat immer wieder zu waghalsigen Attacken aufzubrechen, kaum daß es sich an der damaligen Grenze der westlichen Welt, zwischen östlicher und westlicher Christenheit niedergelassen hatte – in der Nähe der Gärungszone europäischer Nationalstaaten –, den rasch entstehenden und wieder zerfallenden „Reichen" des Ostens den Rücken kehrend?

Was die kriegerischen Traditionen der Magyaren betrifft, so ergaben sie sich teilweise aus der Routine östlicher Nomaden. Ohne sie hätten sie sich auf den langen blutigen Wanderwegen der früheren Jahrhunderte nicht behaupten können. In der neuen Umgebung genossen sie dagegen auf seltsame Weise den Vorteil von Zuspätgekommenen.

Westlich der Leitha hatte die wirtschaftliche und gesellschaftliche Entwicklung eine neue Stufe erreicht, neue Werte und eine neue Ordnung geschaffen. Die Städte und die Klöster, das Handwerk und der Handel, der mehr und mehr mit Geld operierte, waren auf Sicherheit, auf den Schutz der Errungenschaften angewiesen. Rom hatte diesen Schutz geboten, doch unter dem Ansturm der barbarischen Germanen war es zusammengebrochen. Für eine ähnliche Befriedung wie durch die Römer fehlten jetzt die machtpolitischen Bedingungen.

Byzanz zeigte ein erschreckendes Beispiel von Verknöcherung und jahrhundertelangem Niedergang, hervorgerufen durch verheerenden Dogmatismus. Im Westen dagegen veränderten die technische Entwicklung, das christliche Gedankengut und die Ständegesellschaft

– die feudale Hierarchie – nicht nur Lebensweise, Waffen und Kriegführung, sondern auch die Mentalität der Menschen. Dieser Prozeß jedoch wurde gefährdet, im Süden durch die unablässigen Überfälle der beutegierigen Araber (Sarazenen, Mauren), im Norden durch die Normannen mit ihren schnellen Schiffen, im Osten durch die leichtfüßigen Reiterheere der Awaren, später der Ungarn. Europa reagierte nur langsam. Zerstückelt, zerstritten wegen der vom alten römischen Imperium abgesplitterten Teile, bot es sich nicht nur ungewollt seinen Brandschatzern dar, sondern rief sie sogar als Verbündete im anarchischen Kampf herbei.

Aber auch die halbnomadischen Ungarn wollten sich nicht mehr mit fetten Wiesen, fischreichen Gewässern und fruchtbaren Äckern begnügen. Wir wissen, daß die Ackerbauern an den Beutezügen nicht teilnahmen. Diese begannen meist im Frühjahr, wenn in der Feldbestellung die meisten Arbeiten anfielen, und nur selten gingen sie bis zur Ernte zu Ende. Die Krieger machten etwa ein Fünftel der Bevölkerung aus. Sollten sie etwa in den engeren Grenzen der neuen Heimat ihr Nomadenleben aufgeben? Keineswegs. Schon vor Erreichen der Karpaten hatte eine stärkere Gliederung der Gesellschaft stattgefunden, wobei sich Führungsschichten herausbildeten, deren Macht über die Ackerbauern – außer auf beweglicher Habe – auf einer starken militärischen Gefolgschaft beruhte.

Für die Krieger gab es praktisch keine Friedenszeit. Sie wurden nicht nur von Mannesmut, heißblütigem Temperament und dem Drang, ihre Kampfbereitschaft wachzuhalten, angetrieben. Die Feldbestellung mit Hacke und Pflug, der Gartenbau, die zum Teil noch nomadische Viehhaltung lieferten reichlich Nahrung für die ganze Bevölkerung. Doch das wachsende Machtstreben der führenden Schicht und ihre Prunksucht verlangten nach Schätzen und Geld; auch die zahlreichen Gefolgsleute begnügten sich nicht mit dem, was ihnen vom Überschuß der Produkte der neuen Heimat zufiel.

Árpád und seine Hauptleute, auch seine Nachfahren bezogen ihr sicherstes Einkommen in Form von Jahrestributen, die von friedfertigeren, seßhaften Nachbarn entrichtet wurden, oder auch von solchen, die – aus welchem Grund auch immer – einen Verbündeten suchten. Die militärische Stärke mußte freilich hervorgekehrt werden, um die Nachbarn davor abzuschrecken, ihre Tributzahlungen zu versäumen. Falls die Demonstration der Stärke nicht ausreichte, mußte hart und blutig dreingeschlagen werden. Der Führungsschicht war eher am sicheren, in voller Höhe entrichteten Friedenstribut gelegen, sowie am Kriegssold, der ebenfalls auf der Stelle ausgehändigt wurde. Die gemeinen Krieger dagegen bevorzugten mit Recht die Strafexpeditionen, die es ihnen gestatteten, nach Belieben zu rauben und zu brandschatzen und die Beute überwiegend ins eigene Gepäck wandern zu lassen. Lieb waren ihnen auch die Feldzüge, die sie für Sold bestritten. Dort mußten sie zwar Land und Bevölkerung des Auftraggebers verschonen, konnten aber beim Feind beliebig Beute einbringen.

Zwei Generationen lang verging kaum ein Jahr, in dem nicht ein kleineres oder größeres Heer zu einem kriegerischen Unternehmen aufgebrochen wäre. Zuweilen auf eigene Faust, doch meistens einem Ruf folgend. In böhmischen, deutschen, französischen und italienischen Landen sowie auf dem Balkan gab es kaum eine Provinz, ein Fürstentum, Königreich oder sonstiges Staatsgebilde, dessen Oberhaupt nicht gelegentlich die militärische Unterstützung der Ungarn in Anspruch nahm oder aber ihrem Angriff ausgesetzt war, da sie auf der gegnerischen Seite im Sold standen. Nahezu fahrplanmäßig kreuzten die Ungarn in zahlreichen fernen Gegenden auf. Den Weg wiesen ihnen Abgesandte des Auftraggebers. Die Anmarschgebiete durchquerten sie meist ungehindert, bis sie den Boden des Gegners erreichten. Die zurückgelegten Entfernungen, die Vielzahl siegreicher Schlachten, der reiche Tribut, die vielen Gefangenen – die nicht nach Hause geschleppt, sondern gegen Lösegeld freigelassen oder als Sklaven verkauft wurden, weil daheim kaum Bedarf an der Arbeitskraft von Kriegsgefangenen war –, all dies zeugt davon, daß die ungarische Führungsschicht vom Ende des 9. bis zur Mitte des 10. Jahrhunderts – über die geregelten Steuereinnahmen hinaus – ein beträchtliches Mehreinkommen erzielte, das auf der regelmäßigen Vermittlung der Kampfkraft ihrer Krieger beruhte.

Worin bestand nun der Vorteil der Zuspätgekommenen? Die asiatisch-nomadische Kriegführung der Ungarn überraschte die unbehenden, an geschlossene Kampfformationen gewöhnten Krieger, die massige Pferde ritten oder als Fußvolk schwere Waffen mit sich schleppten. Die Ungarn zerschlugen den Widerstand der häufig getrennt operierenden Stadt- und Burgbewohner. Sie griffen in Gruppen an, ritten blitzschnelle Attacken, täuschten Flucht vor, um dann unerwartet erneut anzugreifen. Mit ihren überaus kräftigen Bögen erreichten sie den Feind schon aus der Distanz. Zwar hatten sie auch Schwächen: Zur winterlichen Kriegführung taugten sie weniger. Die Bogensaiten weichten im Regen auf. Auf der Beutejagd zersplitterten sie sich. Das geraubte Gut mußten sie mit sich schleppen. Doch diese Nachteile verstanden die Gegner kaum zu nutzen. Die größte Gefahr drohte den Ungarn, wenn Freund und Feind plötzlich die Fronten wechselten und der Heimweg des weit ausgeschwärmten Heeres durch die veränderten Kräfteverhältnisse erschwert wurde.

Ab der Mitte des 10. Jahrhunderts war die Dynamik der Streifzüge nicht mehr beizubehalten. Die Auftraggeber, die europäischen Herrscher und Thronanwärter, begriffen nach und nach ihre Torheit. Sie erkannten, daß ihre Völker und ihre Wirtschaft ständig geschwächt, daß sie alle aufgerieben würden, wenn sie sich nicht zusammenschlössen. Und sie machten die Erfahrung, daß die Kampfführung der Ungarn, ihre leichte Reiterei durchschaubar und verletzbar waren. Daß dieses Volk, das sich mit seinem Wolfshunger wie ein Keil in die Mitte Europas gedrängt hatte, zu überwinden war, wenn man List mit List parierte, die zerstreuten Krieger angriff, ehe sie sich gesammelt hatten, und zwar mit vereinter Kraft und nicht städteweise zersplittert.

Im Gegensatz zu Behauptungen in westlichen Chroniken wurden die umherstreifenden Ungarn nicht durch eine oder zwei verlorene Schlachten schockiert, nicht durch jene oft genannte Niederlage auf dem Lechfeld bei Augsburg, die ihnen 955 der deutsche König Otto I. beibrachte. Die Kunde davon übertrieb der Sieger im Siegesrausch – und der Verlierer, weil er zu Hause das Kampffieber drosseln wollte. Hatte vielleicht die Sanftmut des Christentums gegen die heidnischen Traditionen zu wirken begonnen? Ursache und Wirkung lagen umgekehrt. Die klügeren Führer der ungarischen Stämme und Stammesverbände hatten von selbst den Bewußtseinswandel bei ihren bisherigen Tributzahlern und Soldgebern wahrgenommen. Es waren gegenseitige Einsichten, die aufeinander wirkten. Die unruhigen, heißblütigen Ungarn mußten gezwungen werden, sich den Völkern des christlichen Europas anzupassen, die ihr Wohl in gesicherten Grenzen sahen. Oder man mußte sie vernichten. Für die Ungarn bedeutete das: Eingliederung in das fremdgläubige Europa oder Untergang.

Wölfe werden zu Heiligen

Die Schar der Überlebenden trabt aus der Umgebung von Augsburg heimwärts. Zwar ist der Blutverlust nicht katastrophal, doch die inneren Verhältnisse verschieben sich. An den Streifzügen, so auch an dem schweren Fiasko bei Augsburg, waren die Kabaren und andere verbündete Völkerschaften stark beteiligt. Die führende ethnische Gruppe, die ungarische, ist deshalb nicht so stark dezimiert worden. (Die Lücken, die durch den Tod von Kriegern entstehen, werden meist rasch geschlossen. Vielweiberei ist noch verbreitet, und auch das Levirat gilt noch. Der älteste Bruder ist verpflichtet, die Witwe des gefallenen Kriegers zur Frau zu nehmen, deren Kinder als eigene großzuziehen und weitere zu zeugen. Der Bevölkerungszuwachs wird nahezu ausschließlich von der Gebärfähigkeit der Frauen und der Kindersterblichkeit bestimmt.)

Die restliche Schar trabt also heimwärts. Wo wird sie ankommen? Wir wissen: Die ungarische Führungsschicht unterhält immer noch zwei Quartiere, sie wechselt ihren Wohnort im Sommer und im Winter, nomadisiert noch. Wie bei Steppenvölkern üblich, lassen auch die Ungarn im Karpatenbecken die Grenzzonen ihres Lebensraumes unbewohnt. Doch sind Tore errichtet, an denen Hilfstruppen den Grenzschutz versehen. Leicht ist die Anlage solcher Grenzödstreifen in Gebirgsgegenden und im Süden, wo Flüsse und Sumpfboden einen natürlichen Schutz bieten, sowie auch im Westen, am Fuß der Alpen. Die nördliche Grenze entlang der Donau verläuft irgendwo im Wiener Becken.

Obwohl uns all das bekannt ist, sind unsere Informationen in mancher Hinsicht geringer als über die früheren Zeiten. Die Spuren der häufigen Streifzüge, oft verknüpft mit den Namen der führenden Kriegsherren, lassen sich in den Chroniken der betroffenen Gebiete immer wieder nachverfolgen: Erst sind sie von Klage, später von Siegestaumel erfüllt. Von den Ungarn jedoch, die sich hinter ihre Grenzöde zurückgezogen haben, gibt es weniger Angaben.

Wie sah Europa in der zweiten Hälfte des 10. Jahrhunderts aus? Jenseits des Kanals herrschte erstmals ein König, nämlich Eduard, über ganz England. Auf französischem Boden wurden die Karolinger endgültig durch die Kapetinger abgelöst; dort waren die Fürsten stark, das Königshaus aber war schwach. Der deutsche König Otto I. – der die Ungarn bei Augsburg besiegt hatte – wurde mit seinen Fürsten besser fertig. Nach allen Seiten Krieg führend, erstarkte er in einem Maße, daß er sich 962 in Rom zum römisch-deutschen Kaiser krönen lassen konnte. Sein Sohn, Otto II., ehelichte die Tochter des byzantinischen Kaisers und nährte damit den Traum von der Neubelebung des römischen Imperiums. Auf der Iberischen Halbinsel ging es nach wie vor darum, die Mauren zurückzudrängen. In Skandinavien wurde die Christianisierung immer noch durch heidnische Gegenaktionen behindert, während sich Dänen, Norweger und Schweden allmählich voneinander trennten. Nachdem die Normannen (Wikinger) ihre Streifzüge in Europa beendet hatten, drehten sie ihre schnellen Schiffe nach Norden: Erik der Rote drang bis nach Grönland vor, sein Sohn erreichte bei Labrador sogar Amerika. Byzanz erholte sich vorübergehend. Feldherren, die sich gegen die Araber ausgezeichnet hatten, rissen in blutiger Fehde den kaiserlichen Thron an sich. Auf böhmischem (mährischem) Boden – im Raum des

Großmährischen Reiches, das in Wahrheit nie existiert hatte – wurde ein verworrener deutsch-slawischer Konflikt ausgetragen. Prag entwickelte sich zu einer Stadt von europäischer Bedeutung und erhielt 973 den Rang eines Bistums. Auch auf polnischem Boden war die Christianisierung im Gange. Aus kleinen Fürstentümern entstand ein Königreich. Auf russischem Gebiet sind die unaufhörlichen Machtverschiebungen kaum nachzuverfolgen. Die Auswirkungen auf die Entwicklung dieses Raumes sind bis heute spürbar.

Was fällt bei diesem flüchtigen Überblick am meisten ins Auge? Am Firmament ganz Europas erhob sich das Kreuz, und die kleineren Machtzentren wurden unterworfen. (Beide Prozesse erfuhren jedoch Rückschläge.) Die Bekehrung zum Christentum – insbesondere im Westen – wirkte einigend und stärkte das „Übernationale" im Leben der Völker. Hinsichtlich der Machtkonzentration, der Organisierung der Weltherrschaft wuchs hingegen – vorerst noch im Verborgenen, gewissermaßen unterbewußt – die integrierende Rolle des ethnischen Faktors. Zum großen Glück der Ungarn erkannten gerade diejenigen unter den Nachfahren Árpáds, die im Besitz der höchsten Macht waren, Richtung und Bedeutung dieser Prozesse rechtzeitig.

Wie erwähnt, sind die Informationen aus diesen friedlicheren Zeiten spärlicher. Es steht jedoch fest, daß der zweitmächtigste Herr Ungarns, der Siebenbürgens, des weithin selbständigen östlichen „Landesteils", in den Jahrzehnten nach Augsburg seine Blicke auf Byzanz richtete. Von dort empfing er Missionare. Er ließ sich selber taufen und gründete ein Bistum. Der eher nach Westen schauende Großfürst Taksony, ein Mann des bewaffneten Friedens, versuchte sich politisch mit den Deutschen zu arrangieren, ging aber hinsichtlich des Glaubens keine Verpflichtungen ein. Mitunter kam es noch zu „altmodischen" Feldzügen, sowohl im Osten als auch im Westen, aber die Zeit der Streifzüge, des abenteuerlichen Umherschweifens, war unwiederbringlich dahin. Den Ungarn war es nicht gegeben, daß die unruhigsten von ihnen zu neuen Erdteilen schifften (wie die Wikinger); es war ihnen auch nicht gegeben, sich in die alte Heimat zurückzuziehen (wie die Mauren, die nach Afrika heimkehrten). Wenn auch nicht so klar, wie es der Dichter Mihály Vörösmarty im 19. Jahrhundert in seinem hymnischen „Mahnruf" ausdrücken sollte, so begann sich doch in den vorausblickenden Ungarn die Überzeugung herauszubilden:

> Die weite Welt gibt anderswo
> Nicht Raum noch Heimat dir,
> Hier mußt in Segen oder Fluch
> Du leben, sterben hier.

Géza, der Sohn Taksonys, Großfürst in den Jahren 972 bis 997 – gegen Ende seines Lebens trug er vielleicht auch den Titel eines Königs –, war zwar bereit, sich taufen zu lassen, nahm aber weiterhin an heidnischen Zeremonien teil. Als man ihm das einmal vorhielt, so wird erzählt, erwiderte er hochmütig: Er sei reich genug, um zwei Göttern reichliches Opfer zu bringen.

Der Sohn Gézas, Vajk, der bei der Taufe wie sein Vater den Namen Stephan erhielt – den er allerdings im Gegensatz zu diesem auch trug –, regierte von 997 bis 1000 im Range eines Großfürsten, von 1000 bis 1038 als gekrönter König. Die Krönung mag am 26. Dezember 1000 oder vielleicht am 1. Januar 1001 stattgefunden haben. Die Krone sandte ihm Papst Silvester II., doch gibt es auch Meinungen, wonach Stephan die Krone vom römisch-deutschen Kaiser Otto III. erhielt.

Stephan schlug den Aufstand Koppánys nieder, den er vierteilen und die Körperteile an den Toren von vier Städten des Landes zur Abschreckung aufhängen ließ. Doch davon später. Zunächst wollen wir uns ansehen, wie der Zeitpunkt der Krönung gewählt wurde, die für Stephan in mancher Hinsicht ein nur noch formaler, aber dennoch unerläßlicher Akt war. Richtete man sich nach dem heidnischen Fest der winterlichen Sonnenwende (die man damals vielleicht noch nicht auf den Tag genau festlegen konnte)? Wählte man diesen Zeitpunkt, damit der heidnische Teil der Bevölkerung – also die Mehrheit – endlich begriff, wer von nun an der Herr im Lande war? Oder war es gerade umgekehrt: Hielt man sich an den 26. Dezember, an den christlichen Namenstag des Diakons Stephan? Denn den Namen dieses frühen Bekenners, des Märtyrers von Jerusalem, hatten Géza, der Sohn Taksonys, und später auch Gézas Sohn Vajk kaum zufällig erhalten. Oder berücksichtigte man eher den Anfang des neuen, zweiten Jahrtausends der christlichen Zeitrechnung, dem der Klerus damals überaus große Bedeutung beimaß? Welcher Gesichtspunkt auch immer den Ausschlag gab – vielleicht spielten sie allesamt eine Rolle –, Stephans Krönung wurde nicht nur als eine verpflichtende politische und religiöse Tat, sondern auch als Akt sorgfältig geplant.

Womit sollen wir nun das in Prosa gefaßte historische Heldenepos beginnen, das der ungarische König Stephan I. zweifelsfrei verdient? Mit dem Jahr 997 oder dem Jahr 1000 oder mit jenem Finale am 20. August 1083, an welchem Tag König Ladislaus I. – wenig später ebenfalls von Rom in die Reihe der Heiligen aufgenommen – Stephan sowie dessen Sohn, Prinz Emerich, und dessen Erzieher, Bischof Gerhard, heiligsprechen ließ?

Doch wir wollen den Anfang weder mit der Thronbesteigung noch mit der Heiligsprechung machen. Auch ist das prosaische Heldenepos nicht unsere Sache. Wenn wir Stephans Größe nicht schmälern wollen, dürfen wir ohnehin keine Jahreszahlen oder kürzeren Zeitspannen hervorheben. Handelt es sich doch um einen – trotz mancher Unterbrechungen – einheitlichen Prozeß, der bei Taksony beginnt und weit über Stephan hinausgeht. Die Gründung des ungarischen Staates erfolgte offensichtlich nicht durch einen einzigen Akt und war auch nicht das Lebenswerk eines einzigen Herrschers, auch wenn er länger als vier Jahrzehnte herrschte. Was in der Mitte des 10. Jahrhunderts begann, bietet Aufgaben für eine ganze Reihe von Herrschern, bis zum Aussterben der Arpadenkönige, also bis zum Beginn des 14. Jahrhunderts.

Nichtsdestotrotz ist Stephans Lebenswerk von einer Größe, daß man ihn nicht nur als Mitgestalter eines langen Geschichtsprozesses darstellen kann.

Taksony und später sein Sohn Géza erkannten bereits den Triumphzug des Kreuzes durch Europa, doch sie selbst führten ein nahezu ungebrochen heidnisches Völkergemisch an. Vater und Sohn erfuhren, daß die Stärkeren in Europa mit ihrem Schwert immer mehr Macht, Land und Bevölkerung an sich rissen; daß die ausgedehnten Wanderzüge der Völker allmählich zum Erliegen kamen; daß Sicherheit nicht mehr durch Mobilität gewährleistet wurde, sondern durch Mauern, in deren Schutz die Produktion gedieh und Güter angehäuft wurden. Allmählich begriffen sie, daß sie eine ruhelose, an ständigen Ortswechsel gewöhnte Volksschicht – ihr eigenes militärisches Gefolge – zwar anführten, ihr aber zugleich ausgeliefert waren. In ihrer neuen Heimat, dem Karpatenbecken, standen kaum Mauern – abgesehen von den seltsam und fremd anmutenden Ruinen der Römer. Die Handwerker lebten in ebenso ungeschützten Siedlungen wie die Ackerbauern, und ein nicht geringer Teil der produzierten Güter gelangte an heidnische Opferstätten als Gabe an die Götter oder gemäß dem heidnischen Ritus in die Gräber der Toten.

Wie sollte man hier Fuß fassen und Sicherheit gewinnen? Taksony war – notfalls – sogar bereit, frisch erobertes Land preiszugeben, so z. B. das Wiener Becken, um den Grenzödstreifen weiter nach Osten zu verlagern. Über sein politisches Denken, seine Pläne können wir nur Vermutungen anstellen: Er lavierte, um Zeit zu gewinnen für seine Nachfahren.

Géza, der Sohn Taksonys, nahm eine Christin zur Frau: Sarolta stammte aus Siebenbürgen und war die Tochter des Fürsten des Gebietes. Seine eigenen Töchter gab Géza dem polnischen Herrscher Boleslaw I. dem Helden, dem Führer der Kabaren, Samuel Aba, sowie dem Dogen von Venedig, Otto Orseolo, zur Frau. Für seinen Sohn wählte er die bayerische Herzogstochter Gisela zum Eheweib. Diese Weitsicht läßt ihn in unseren Augen so groß erscheinen, weil wir ja wissen, daß sich in seinem Herzen noch nicht so viel gewendet hatte wie in seiner Politik. Er ließ sich zwar taufen, aber nur mit halbem Herzen: Er brachte zweierlei Opfer dar. Doch war dies – wie wir vermuten – kaum eine Taktik: Weder die Götter noch das Volk wollte er hintergehen, indem er sich nach außen als Christ und nach innen als Heide gab. Er war einfach so. Sein Gefühl ließ ihn am Herkömmlichen festhalten, während sein Verstand nach vorne gerichtet war.

Von manchen Bauwerken, die man der Zeit Stephans zurechnete, hat sich in neuerer Zeit herausgestellt, daß ihre Fundamente wahrscheinlich bereits von Géza gelegt wurden. Für die Staatsgründung, mag dieser Prozeß noch so lange gedauert haben, leisteten zwei Herrscher, der Sohn Taksonys, Großfürst Géza, und dessen Sohn, König Stephan, Gewaltiges. Géza traf die schicksalhafte Entscheidung. Die schwere Last der Durchführung fiel Stephan zu.

Der Sohn des Halbheiden Géza und auch dessen Enkel wurden unter die Heiligen der katholischen Kirche aufgenommen. Zu Recht? Gewiß, aber wohl nicht ganz aus den gleichen Motiven, die wir in den Legenden der Klosterschreiber finden. Manche Quellen stellen Stephan, insbesondere aber Prinz Emerich, fromm und andächtig dar. In Wirklichkeit gab es kaum einen ungarischen König, der härter gesotten gewesen wäre als Stephan, und von Emerich weiß man, daß er bei der Wildschweinjagd den Tod fand.

Zu einer Zeit, da Stephan noch Großfürst war, wurde seine Herrschaft vom Sippenältesten Koppány, dem Herrn über den südwestlichen Landesteil, in Frage gestellt. Aufgrund des Levirats verlangte er, Stephans Mutter Sarolta, die Witwe Gézas, zu ehelichen. Und selbstredend meldete er seinen Anspruch auf den Thron an. Da uns bekannt ist, daß Koppány nicht der Bruder Gézas war, mag er sein Vetter gewesen sein, vielleicht ein Sohn des zweiten – namentlich nicht bekannten – Sohnes Taksonys. Aber möglicherweise war er der Nachkomme eines anderen Zweiges der Arpaden. (Die Geschichtsschreibung ist diesbezüglich auch deshalb unklar, weil die Chroniken meistens von den schreibkundigen Sklaven der Sieger verfaßt wurden, die die Fakten gerne verdrehten und es auch fertigbrachten, die Abstammung zu verfälschen. Sie berichtigten Rechtsansprüche, verkehrten Niederlage und Triumph in ihr Gegenteil, schrieben ganze Landkarten um, ließen Dokumente verschwinden. Wie die Interessen wechselten, so wechselten sie ihre Aussage.)

Da später Gézas Geschlecht ausstarb, fand das Haus Árpád seine Fortsetzung in männlicher Linie in den Nachkommen des zweiten Sohnes Taksonys. Koppány und seine Sippe wurden jedoch von Stephan und dessen militärischem Gefolge und von deutschen Rittern, die bereits vor der Krönung an seinem Hof Aufnahme gefunden hatten, geschlagen. Die Chroniken beschreiben dies vor allem als Kampf zwischen dem heidnischen und dem christlichen Teil des ungarischen Volkes. Zwar hatte dieses Motiv eine Rolle gespielt – und es sollte in den Kämpfen um den ungarischen Thron noch des öfteren wiederkehren –, aber der wahre Gegensatz ist weniger im Glauben zu suchen als vielmehr in der Machtfrage. Zwei Erbfolgeprinzipien prallten aufeinander: Es ging darum, ob der älteste männliche Sproß des Herrscherhauses oder der Sohn des verstorbenen Herrschers den Thron besteigen sollte.

Im Jahr 1002 mußte Stephan gegen den Siebenbürger Fürsten kämpfen. Hier kann man von einem heidnischen Aufstand durchaus nicht reden: Der Fürst war, wie wir wissen, seit langem Christ. Noch später – die Jahreszahl ist unbekannt – schlug Stephan den Stammesfürsten des südlichen Landesteils, den (orthodoxen) Christen Ajtony. Als sich aber Vasul – wahrscheinlich ein Bruder Koppánys, der zur Zeit des Aufstands seiner Sippe noch so jung gewesen war, daß er der blutigen Vergeltung entgehen konnte – gegen Stephan erhob, schien der alte heidnisch-christliche Gegensatz erneut aufzuflammen. Und es ist nicht abwegig anzunehmen, daß Vasul einen sakralen Königsmord nach heidnischem Brauch plante, als er Stephan nach dem Leben trachtete. Begründet wäre diese Annahme vor allem, sollte Vasuls Erhebung tatsächlich kurz vor Stephans Tod, gegen Ende seiner vier Jahrzehnte währenden Herrschaft, stattgefunden haben. Eine andere, noch romantischere Hypothese bezieht sich darauf, daß das Arpadenhaus alle 19 Jahre von Herrschaftskrisen, Aufständen, Thronfolgekämpfen erschüttert wurde, und zwar mit einer Regelmäßigkeit, daß dies vom Fortleben des bei vielen archaischen Völkern gebräuchlichen Mondjahres – des 19 Sonnenjahre umfassenden heidnischen Metonischen Zyklus – zu zeugen scheint. (Legt man eine Zeitrechnung zugrunde, griff Vasul seinen königlichen Vetter nach Ablauf von zwei Mondjahren an.)

Stephan ließ Vasul die Augen ausstechen und ihm heißes Blei in die Ohren gießen. Vasuls drei Söhne, Andreas, Béla und Levente, flohen nach Polen. Von dort sollten sie später heimkehren . . .

Inmitten schwerer innerer und äußerer Konflikte – die aber nie verhängnisvoll verliefen – hatte Stephan die Möglichkeit und die Kraft, das Land zu ordnen und aufzubauen. Seine wichtigste Tat in der weltlichen Sphäre war die Abschaffung der alten Stammesverfassung. Zwei Drittel des Landbesitzes der Sippen enteignete Stephan. Er wandelte das Land in königliche Burgkomitate um, die Bewohner wurden zum Burgvolk erklärt. Er gründete etwa ein halbes Hundert Komitate. Die kriegstauglichen Männer der von Gespanen geführten Verwaltungsbezirke sorgten für den Schutz ihres Territoriums. Der unter der Herrschaft des großfürstlichen Stammes stehende Grund und Boden samt dem ansässigen Volk – ergänzt durch neue königliche Besitztümer und deren Bevölkerung – war unabhängig von den Komitaten und lieferte zugleich die Soldaten und die materiellen Grundlagen für das stehende Heer des Königs.

Für Enteignungen dieses Ausmaßes bedurfte es einer starken Zentralmacht. Das Land war damals freilich nur spärlich besiedelt, und nur ein kleiner Teil wurde für den Ackerbau genutzt. Viel Land wurde durch die Aufgabe letzter Überreste der nomadischen Lebensweise frei: Die Ungarn wechselten nicht mehr vom Winterquartier (entlang der Flüsse) in sommerliche Aufenthaltsräume (bei guten Weiden). Mit dem Amt des Gespans betraute der König sowohl Ausländer, die nur von ihm abhängig waren, als auch einige alte Sippenvorsteher, damit sie sich gegenseitig kontrollierten und ein Gleichgewicht bildeten.

Zugleich mit der weltlichen Umgestaltung wurde die Kirchenorganisation aufgebaut. Die neuen Dekanate waren mit den Komitaten nahezu identisch; es entstanden zehn Bistümer, das erste in Gran, das bald zum Sitz eines Erzbischofs wurde. Der König verteilte freigebig kirchliche Privilegien und Besitztümer. Hatte sich der griechisch-orthodoxe Ritus früher vornehmlich östlich der Donau verbreitet und mancherorts sogar das einstige Pannonien erreicht, so unterstützte Géza, später auch Stephan, immer konsequenter die missionarische und organisatorische Tätigkeit der römischen Kirche. Es ist kein Widerspruch, daß Stephan für die von ihm ausgesuchte Frau des Prinzen Emerich, eine griechische Prinzessin, in Veszprémvölgy ein orthodoxes Nonnenkloster erbauen ließ.

Wir wissen von Stephans Korrespondenz mit dem berühmten Zentrum der Benediktiner in Cluny. Vom Abt Odilo erbat er die Zusendung von Heiligenreliquien für die ungarischen Kirchen. Doch eines der Zentren des kirchlichen Lebens in Ungarn, die Abtei in Pannonhalma, regelte ihr Leben lieber nach dem Beispiel der italienischen Benediktiner in Monte Cassino.

Zu Stephans wichtigsten die Kirche betreffenden Maßnahmen gehörte die Änderung der Marktordnung. Er verordnete, die Märkte jeweils am siebten Tag abzuhalten, der durch kirchliches Gebot geweiht war. Jeweils zehn Dörfer mußten eine Kirche bauen. Zu deren Unterhalt schuldeten sie die Fron zweier Familien, dazu einen Hengst und eine Stute, sechs Ochsen, zwei Kühe und 30 Stück Kleinvieh.

Es lohnt, eine Kirche aufzusuchen, die zu Zeiten

Stephans oder wenig später, noch auf seine Anordnung, errichtet wurde. Das aus Quadern erbaute Schiff der romanischen Kirche in Karcsa stammt aus dem 13. Jahrhundert. Von innen erscheint es überraschend klein. Bei genauerer Betrachtung wird erkennbar, daß der aus Ziegelsteinen gemauerte, einen Dreiviertelbogen beschreibende Chor bereits im 11. Jahrhundert entstand und ursprünglich eine kleine Dorfkirche war, die man erst bei der Erweiterung im 13. Jahrhundert – nunmehr als Chor – mit dem neuen Schiff verbunden hat. Man kann nur schwer glauben, daß diese winzige Rundkirche über zwei Jahrhunderte für zehn Dörfer ausgereicht hat. Wirkte die heidnische Tradition noch so stark, daß die Messen schwach besucht waren? Viel eher gab man sich wohl damit zufrieden, daß das Dach nur Pfarrer und Altar schützte, während das Volk die Messe unter freiem Himmel erlebte.

Es war die Tragödie Stephans – und zugleich des ganzen Arpadenhauses, ja des Landes –, daß von den Kindern des 41 Jahre herrschenden Königs nur ein einziger männlicher Sproß das Erwachsenenalter erreichte, aber auch schon als junger Thronfolger starb. Von ihm berichten die kirchlichen Quellen, er habe derart fromm gelebt, daß er und seine Frau, die griechische Prinzessin aus Byzanz, Keuschheit geschworen und niemals miteinander geschlafen hätten. War es wirklich so? Was wir vom Temperament oder auch von der politischen Weisheit der Arpaden wissen, mit der sie die ehelichen Bande zwischen den Dynastien knüpften, läßt uns daran zweifeln. Der einzige herangereifte Sohn jenes Stephan, den Géza mit großer Sorgfalt auf das Herrscheramt vorbereitet hatte, sollte sich so verhalten haben? Nicht weniger sorgsam hatte ja auch Stephan seinen Emerich auf das Leben und die Herrscherpflichten vorbereitet, ihn mit väterlich-königlichen Ratschlägen versehen.

(Die „Paränesen" Stephans an seinen Sohn können wir gar als das erste bekannte Werk der ungarischen Literatur betrachten.) Hatte er nicht schon den Jüngling, um dessen Status als Thronfolger zu stärken, mit der Führung des Heeres betraut? Der Keuschheitsschwur ist um so unwahrscheinlicher, als der Erbanspruch durch einen Nebenzweig stets – und zu jener Zeit besonders große – Gefahren in sich barg, und zwar nicht nur für die unterliegende Familie.

Tatsache ist aber, daß Emerich kinderlos blieb, bis er 1031 einem Jagdunfall – vielleicht einem Attentat? – zum Opfer fiel. Wir wissen genau das Datum seines Todes: der 2. September. Doch wie alt er wurde, ist unbekannt.

Stephan bestimmte nach dem Tod seines Sohnes Emerich den Sohn seiner Schwester, Peter Orseolo, zu seinem Nachfolger. Er rief ihn an seinen Hof und bereitete ihn auf die Herrschaft vor. Zur gleichen Zeit bekleidete der Mann seiner zweiten Schwester, der Kabare Samuel Aba, das Amt des Palatins (der notfalls an die Stelle des Königs trat). Im Jahr 1038 bestieg Peter den Thron. Doch die innere Opposition verjagte ihn, da er sich vorwiegend auf fremde Herren stützen mußte, und machte 1041 Samuel Aba zum König. Bereits 1044 mußte auch dieser sich eines inneren Aufstands erwehren, indem er ein halbes Hundert führender Herren ermorden ließ. Diese Vorgänge ermutigten Peter zur Rückkehr, wobei er vom römisch-deutschen Kaiser Heinrich III. militärische Hilfe erhielt. In den Thronkämpfen fand Samuel Aba den Tod – oder fiel er einem Meuchelmord zum Opfer? –, so daß Peter für zwei Jahre erneut auf den Thron gelangte. Bereits im Herbst 1046 mußte er fliehen, später ließ ihn sein Nachfolger Andreas I. – einer der Söhne Vasuls – gefangennehmen und ihm die Augen ausstechen. Im weiteren, ein Vierteljahrtausend lang, saßen die Nachkommen des Arpaden Vasul auf dem ungarischen Königsthron. Doch hatte sich das Blatt gewendet: Früher wurden ungarische Krieger zu Hilfe gerufen, wenn jemand in der Umgebung seine Macht erweitern wollte. Dann herrschte eine Zeitlang in Osteuropa, in der Umgebung des Karpatenbeckens, ein gewisses Gleichgewicht der Kräfte. Mitte des 11. Jahrhunderts aber mehrten sich die Versuche, die bekehrten und seßhaft gewordenen Ungarn zu Vasallen zu machen.

Verdammte und begnadete Könige

Dürfen wir uns das absurde Gedankenspiel erlauben: Shakespeare wäre auf ungarischem Boden geboren worden? Er hätte hier alle seine Dramen über Könige und Prinzen schreiben können: über Árpád und seine Nachfolger auf dem Thron, über ihre Zeit. Und welch eine Porträtgalerie hätte das ergeben! Grübelnde Hamlets, sanfte Ophelien, die ins Kloster gehen, hohe Würdenträger als graue Eminenzen, getreue Hauptleute und treubrüchige Geliebte, Typen wie Richard, die für ein Pferd ein ganzes Land feilbieten, umherstreifende Ritter von fremden Höfen, Gestalten wie Rosenkranz und Güldenstern, Aristokraten der Weißen und der Roten Rose, vom Schicksal verfolgte sowie ihr Schicksal meisternde Herrscher – ein schillerndes, hochdramatisches und bühnenwirksames Gemisch von Ritterlichkeit und Niedertracht.

Aber hätte der großartige Engländer gewagt, ein derart unwahrscheinliches Mißgeschick auf die Bühne zu stellen, das im Jahr 1063 dem ungarischen König Béla I. zustieß? Nach dreijähriger Herrschaft stürzte der Thron in seinem Sommerschloß in Dömös unter ihm zusammen, so daß er den Tod fand. Freilich mutet der Anblick eines morschen Thrones, der den König unter sich begräbt, komisch an, obgleich die Knochen krachen und das Blut fließt. Wirklich tragisch wurde das Ereignis erst durch seine Folgen. Doch wie dramatisch, ja theatralisch oder gar kitschig war erst die Szene, die der Herrschaft Bélas vorausging!

Wie schon berichtet, hatte der geblendete und seines

Gehörs beraubte Vasul drei Söhne, die nach Polen flohen und von dort später heimkehrten. Von ihnen bestieg Andreas den Thron, wobei er ein Drittel des Landes seinem jüngeren Bruder Béla anvertraute. Dieser wiederum zeigte sich in seinem Landesteil so selbständig, daß er sogar Münzen prägen ließ, was ausschließlich dem Herrscher zustand. Im Jahr 1057 ließ Andreas I. – ohne die Herrschaft abzugeben – seinen Sohn Salomon zum König krönen und verlobte ihn mit einer Tochter des römisch-deutschen Kaisers. Im Jahr 1059 aber – als wäre die Frage der Thronfolge offen gewesen – legte Andreas I. in Várkony an der Theiß seinem jüngeren Bruder Béla Krone und Schwert vor, um ihn zwischen Thron und Heer wählen zu lassen. Die Falle war offenkundig. Und der verblüffte Béla griff – allerdings erst auf die nachdrückliche Mahnung eines seiner Ratgeber – nach dem Schwert. Sein Schicksal wäre besiegelt gewesen, falls er anders gewählt hätte. Aber dennoch, trotz seiner richtigen Entscheidung, floh der Prinz nach dieser Prüfung, die als „Zwischenfall von Várkony" in die ungarische Geschichte eingegangen ist, erneut nach Polen. Von dort kehrte er an der Spitze eines Heeres zurück und besiegte seinen gekrönten Bruder, der bald darauf starb. Béla I. trat seine Herrschaft an, die durch Salomon und dessen Anhänger unaufhörlich gestört wurde und nach drei Jahren unter den Trümmern des Thrones in Dömös ihr Ende fand. Nach dem kinderlosen Salomon gelangten jedoch gleich zwei Söhne des verunglückten Königs auf den Thron. Der eine von ihnen, der großartige Ladislaus I., wurde der dritte, aber nicht der letzte Heilige aus dem Arpadenhaus.

Angesichts von soviel Bruderzwist, Aufständen und Streitigkeiten, wie sie nach Stephan I. in diesem Land überhandnahmen, wird der betrübte Patriot zu einer

Spekulation verleitet, die fast noch müßiger ist als die literarische: Was wäre gewesen, wären Emerich wie seinem Vater vier Jahrzehnte auf dem Thron beschieden gewesen, wäre die von Stephan geschaffene gewaltige Zentralmacht nicht in den von Peter Orseolo und Samuel Aba eröffneten jahrzehntelangen Thronkämpfen zersplittert worden?

Unterdessen war die Zeit der Streifzüge für die Ungarn schon seit einem Jahrhundert vorüber, doch in der Nähe des Karpatenbeckens lebte noch eine Gruppe jener unruhigen Petschenegen, die die Ungarn seinerzeit aus Lewedien und später auch aus Etelköz verdrängt hatten. Die Gefahr ihrer Überfälle wurde durch die ständige innere Unsicherheit vergrößert, so daß die Ungarn – die sich, was das Umherstreifen betrifft, vom Saulus zum Paulus gewandelt hatten – ihren Ansturm nur unter schweren Verlusten abwehren konnten. Als Géza I. sie endlich dadurch befriedete, daß er sie im Lande aufnahm, tat er dies nicht zuletzt, um die eigene militärische Kraft gegen den vertriebenen, aber doch nicht ganz besiegten Exkönig Salomon zu mehren.

Die 18jährige Herrschaft Ladislaus' I. des Heiligen begann 1077 unter einem glücklichen Gestirn. Salomon floh zu einer Gruppe der Petschenegen oder der Kumanen, die als berittene Nomaden in deren Fußstapfen getreten waren – und fiel später bei einem ihrer Streifzüge. Nun gab es weit und breit keinen rechtmäßigen Thronanwärter. Papst und Kaiser waren durch den Investiturstreit gebunden: Wem gebührte das Recht, kirchliche Würdenträger zu ernennen? Für Ladislaus war das Reich die Gefahr, die näher lag als Rom, deshalb stellte er sich auf die Seite des Papstes, ohne sich dabei statt der deutschen der päpstlichen Hegemonie zu unterwerfen: Während er Rom unterstützte, lehnte in Wahrheit auch er ab, was den Zankapfel zwischen Papst Gregor VII.

und Kaiser Heinrich IV. ausmachte: die Priorität der kirchlichen Macht über die weltliche auch in irdischen Dingen. (Heinrich IV. war, das sei nebenbei erwähnt, der Schwager von Exkönig Salomon. Später sollte er zu seinem Gang nach Canossa gezwungen sein: In einem düsteren Abschnitt seines Kampfes mit dem Papst mußte er vor Gregor VII. auf den Knien Buße leisten.)

Die von Ladislaus erlassenen Gesetze zeugen – verglichen mit denen Stephans, den ersten geschriebenen ungarischen Gesetzen – zugleich von Beständigkeit und von Wechsel in der ungarischen Geschichte. Allmählich festigte sich jene Rechtsordnung, die den Landnehmern einst so ungewohnt gewesen war. Vom Privateigentum oder vom Wert des Lebens hatten sie ganz andere Vorstellungen. Zwar besaßen sie wahrscheinlich im 9. und 10. Jahrhundert eine festere Moral als ihre Nachkommen im 11. Jahrhundert – doch aufgrund ganz anderer, noch aus den Steppen Asiens mitgebrachter Normen und Gewohnheitsrechte. Es ist freilich schwer, alle Momente dieses Prozesses richtig einzuschätzen. Durch die Gesetze Ladislaus' und seiner Nachfolger bildeten und verfestigten sich in Ungarn die Elemente der feudalen Ordnung. Hier entstand jedoch nicht der gleiche Feudalismus wie in Westeuropa oder östlich von Ungarn. Das Kolorit – die feinen oder groben Unterschiede – richtig zu empfinden und anderen nachempfindbar zu machen, sind oft nicht einmal die Fachwissenschaftler in der Lage.

Im Jahr 1093 begann sich Ladislaus um Heiligsprechungen zu bemühen. Zuerst erwirkte er sie für zwei Eremiten polnischer Herkunft, Andreas und Benedikt, dann für den Erzieher Emerichs, den Bischof Gerhard, der während eines heidnischen Aufstandes den Märtyrertod gefunden hatte, sodann für Stephan I. und zuletzt für Prinz Emerich. Auch damit wollte er den Stellenwert seines Landes und seiner Familie im christlichen Europa dokumentieren und zugleich die restlichen Heiden in Ungarn zur Bekehrung auffordern. Obwohl seine Persönlichkeit wie auch die Stephans kaum den Vorstellungen von einem Heiligen entspricht, betrachtet man sie im Spiegel unverfälschter Quellen, so rankte sich doch bald auch um ihn eine Legende. Aber nicht nur der Heiligenmacher Ladislaus erwarb den Glorienschein, den er für andere erwirkt hatte. Seine Tochter, die Kaiserin von Byzanz, ungarisch Piroska, griechisch Irene geheißen, wurde zur Heiligen der orthodoxen Kirche.

Und das restliche Heidentum in Ungarn? Gewiß, das gab es, und sogar noch lange . . . Es liegen zwar nur wenige unmittelbare, aber um so mehr mittelbare Beweise dafür vor, daß das latente Heidentum nach Stephan noch Jahrhunderte fortlebte. Vergeblich verbot die Kirche – zum großen Leidwesen der Archäologen von heute –, den Toten etwas beizugeben, dennoch wurden in den Gräbern Münzen und Amulette versteckt. In geheimen Hainen fanden Opferzeremonien unter Speeren und Pferdeschädeln statt. Der Schamane als Wunderheiler lebte weiter, überdauerte nicht nur Jahrhunderte, sondern ein ganzes Jahrtausend. Bis heute findet man in Kindersprüchen, in okkulten Besprechungsformeln „weiser Frauen", ja sogar in christlichen Gebeten unverkennbar heidnische Fragmente! Die Ethnologin Zsuzsa Erdélyi hat vor nicht langer Zeit Hunderte von apokryphen Gebeten gesammelt, die christliche und heidnische Elemente organisch miteinander verbinden. Die Zähigkeit der heidnischen Traditionen ist um so verständlicher, wenn man bedenkt, daß in Ungarn mehrere Züge von Petschenegen, später Gruppen von Kumanen und Jassen Aufnahme fanden. Diese heidnischen Völkerschaften ließen sich zwar taufen, wurden aber nicht so schnell zu echten Christen, sondern sie verstärkten noch das erhalten gebliebene Heidentum bei den Ungarn.

Ladislaus I., der häufig selbst ins Feld zog – und einen kumanischen Führer auf dem Schlachtfeld mit eigener Hand tötete –, verteidigte sich diplomatisch und militärisch geschickt gegen die deutsche Expansion aus dem Westen und gegen die Überfälle der Kumanen aus dem Osten. Im Süden hingegen eroberte er Dalmatien, dessen winzige Stadtstaaten die „ferne" ungarische Lehnsherrschaft für vorteilhafter hielten als die „nahe" venezianische. Ladislaus erwog sogar, ins Heilige Land zu ziehen, aber zum Glück wurde er durch die Kunde von einem gerade entflammten Thronstreit in Böhmen zurückgehalten. So vergeudete er sein erworbenes Machtkapital nicht in einem fraglichen Abenteuer im Nahen Osten, wie es vielen ehrgeizigen Herrschern Europas erging. (An dieser Einschätzung der Kreuzzüge ins Heilige Land ändert sich kaum etwas, wenn wir unterstellen, daß sie aus religiösem Eifer oder vielleicht auch mit dem Ziel unternommen wurden, den Handel auf dem Mittelmeer zu kontrollieren.)

Nachfolger Ladislaus' I. wurde sein Vetter Koloman, der den Beinamen „der Bücherfreund" erhielt. Verheiratet war er zuerst mit der normannischen Prinzessin Buzilla, dann mit Euphemia, der Tochter des Großfürsten von Kiew, Wladimir II. Monomach. Koloman verwaltete das reiche Erbe mit wechselndem Erfolg. Nach dem athletischen, wahrhaft ritterlichen König Ladislaus I., auch *elegantissimus rex* genannt, führte nun ein Mann von kümmerlicher Erscheinung das Heer an. Eine Quelle beschreibt ihn als „zottig, stark behaart, bucklig, lahm und stotternd". (Es reichte schon, wenn auch nur die Hälfte stimmen sollte!) Zugleich war er ein Bücherwurm und – geweihter Bischof, der erst gekrönt werden konnte, nachdem ihn die Kirche von seinem Amt entbunden hatte.

Gleich im ersten Jahr seiner Regierung mußte er sich 1096 der Herausforderung durch die Kreuzzüge stellen, die in dichter Folge auf Europas Straßen gegen Osten rückten. Seine Erfahrungen mit den Heerführern waren unterschiedlich. So war sein Verhältnis zu dem französischen Ritter Walter Sansavoir oder auch zum lothringischen Herzog Gottfried von Bouillon bzw. zu ihren Truppen relativ gut. Letzteren begleitete er allerdings aufgrund schlechter Erfahrungen mit seinen Truppen durch das ganze Land. Die Scharen des Eremiten Peter von Amiens wiederum besetzten die Burg Semlin. Die Truppen des Franzosen Folkmar und des deutschen Priesters Gottschalk mußte Koloman zerschlagen, während er den Scharen des Vicomte Wilhelm Charpentier von Melun sowie des Grafen Emich von Leiningen das Betreten des Landes verwehrte.

Indes hatte Koloman der Bücherfreund auch im Inneren der Sorgen genug. Sein Bruder, Prinz Álmos, erhob sich gegen ihn. Zunächst stießen ihre Truppen dort aufeinander, wo sich der „Zwischenfall von Várkony" abgespielt hatte. Da die hohen Edelleute – die für keinen der beiden Partei ergriffen – nicht bereit waren, in den Kampf zu ziehen, versöhnten sich die Brüder. Doch später fiel Álmos wieder und wieder mit fremder Hilfe in das Land ein.

Als Koloman sein Ende nahen fühlte und seinem unmündigen Sohn den Thron sichern wollte, ließ er seinen jüngeren Bruder Álmos und dessen Sohn Béla gefangennehmen und blenden. Und damit der Faden der Geschichte in shakespearischer Manier weitergesponnen wird: Unter Stephan II. – der von 1116 bis 1131 regierte – floh Álmos nach Byzanz, indes sich sein Sohn im Kloster von Pécsvárad versteckte. Angesichts der Krankheit des kinderlosen Stephan II. wählte der Hochadel aus seinem Kreis gleich drei Könige. Die Verschwörung wurde aber von Stephan zerschlagen. Dieser hatte inzwischen den Aufenthaltsort des blinden Prinzen Béla herausgefunden – Álmos war bereits gestorben – und ließ ihn aus seinem Versteck holen. Nachdem er ihn verheiratet hatte, machte er ihn zu seinem Thronfolger. Er sollte als König Béla II. der Blinde in die Geschichte eingehen und mit seinem Beispiel bezeugen, daß Blendung nicht herrschaftsuntauglich macht.

Die zehnjährige Herrschaft Bélas II. (1131–1141) wurde durch den Thronprätendenten Boris gefährdet, der von Polen aus angriff. Der Gefahr vorbeugend (und auf Anstiftung der Königin), wurden im Jahr 1132 auf dem Landtag in Arad 68 mutmaßlich mit Boris sympathisierende hohe Edelleute niedergemetzelt. Wer war dieser Boris? Nun, Koloman befand sich schon im Herbst des Lebens, als seine zweite Frau Euphemia schwanger wurde. Der Ehemann hatte sie beim Ehebruch ertappt. Allerdings ist uns nicht bekannt, ob dies in flagranti geschah oder ob der König nur anderweitige Kenntnis davon erhalten hatte, daß der Sproß nicht von seinen Lenden gezeugt worden war. Jedenfalls schickte er die schwangere Frau nach Hause zu ihrem Vater, wo sie einen Jungen namens Boris zur Welt brachte . . .

Schreiben wir hier die Skandalchronik von Königen oder die Lebensgeschichte eines Volkes? Wir möchten gerne letzteres tun, aber es scheint durchaus angezeigt, auch auf diese Weise die Verhältnisse zu schildern, unter denen einer der jüngsten Staaten Europas – unter der Herrschaft der Arpaden – entstand und fortbestand.

Unterdessen vollzog sich – teils bewußt geplant von den Herrschern und ihren Ratgebern, teils im Zuge einer automatischen Anpassung an Europa – eine umfassende wirtschaftliche und gesellschaftliche Umgestaltung. Nach dem Zerfall der Großfamilien, der Stammesverfassung hatten sich neue Eigentumsverhältnisse, eine neue Rangordnung herausgebildet, gesellschaftliche Umschichtungen waren vor sich gegangen. Die neue Führungsschicht, die Gespane und andere Amtsträger, gaben sich bald nicht mehr mit den Privilegien ihres Amtes zufrieden, sondern waren bestrebt – nach dem Beispiel des Königs, der seine Macht nicht zuletzt auf den Besitz von eigenen Ländereien stützte –, Grund und Boden zu ihrem Eigentum zu machen, über das sie frei verfügen und das sie weitervererben konnten. Die ungarischen Leibeigenen waren verglichen mit dem Sklavenvolk noch eine privilegierte Gruppe, die aus ihrer Stellung als militärische Gefolgschaft während der Zeit der Streifzüge manche Rechte herübergerettet hatte. Sie unterstützten die Unabhängigkeit des Königs gegenüber dem Ausland, gegen fremde Ritter und die mit ihnen verbündeten Thronprätendenten.

Lange Zeit bedeuteten Pferde und Rinder den Ungarn das höchste Gut; ihre Zahl galt sogar als Wertmaßstab. Die unter Stephan eingeführte Münzprägung – die so erfolgreich war, daß die Münzen der ersten ungarischen Könige in vielen Orten Europas nachgeprägt, also „gefälscht" wurden – veränderte den Handel und verlieh den Edelmetallen neuen Rang: Ihre Bedeutung für die Staatskasse erhöhte sich. Auch verschiedene andere Monopole wurden wichtig: so der Salz- und Pferdehandel, der Bergbau, das Zollwesen, die Erlöse aus den Fischteichen usw. Zwei Städte, Gran und Stuhlweißenburg, wurden großzügig ausgebaut, dennoch zog der königliche Hof noch lange umher, um die in den einzelnen Landeszentren angehäuften Produkte zu verbrauchen. Pferde – damals auch ein wichtiges Kampfmittel – waren die einzige Agrarware, deren Ausfuhr staatliches Monopol war. Aber die Gesetze gingen auch schon auf den Export von Rindvieh ein.

In Siebenbürgen und in Oberungarn begann sich der schon damals einträgliche Kupfer-, Gold- und Silberbergbau (und die Goldwäsche in den Flüssen) zu entfalten. Diese Naturschätze waren eine der Grundlagen für den vielbeneideten Reichtum des mittelalterlichen Ungarns. Ihr Abbau wurde eigentums- und wirtschaftsrechtlich immer wieder neu geregelt. Das Kupfer erhielt nicht von ungefähr Vorrang. Ungarn genoß bei der Herstellung und der Ausfuhr dieses unentbehrlichen Metalls nahezu eine Monopolstellung, was dem Land, dem König, den Herstellern und selbst den privilegierten Bergknappen gewaltige wirtschaftliche Vorteile verschaffte.

Die Bevölkerung vermehrte sich nicht nur durch natürlichen Zuwachs, sondern auch durch den fast unaufhörlichen Zustrom von Ansiedlern, armen und bessergestellten, aus allen Himmelsrichtungen. Im vielgeplagten Ungarn genossen sie relative Sicherheit und gerechte Behandlung. Uns ist bekannt, daß z. B. eine zahlenmäßig starke ismaelitische Volksgruppe ihr islamisches Glaubensbekenntnis verhältnismäßig frei ausüben konnte und nur im Kriegsfall verpflichtet war, in den Dienst des Königs zu treten, allerdings lediglich gegen nichtislamische Feinde. Venedig und Ungarn, wiewohl häufig miteinander im Krieg um Dalmatien, schlossen Vereinbarungen über den freien Verkehr der Kaufleute aus beiden Ländern. Weit und breit rief Bewunderung hervor, daß es auf ungarischem Boden niemand außer dem König wagte, Zoll zu erheben.

Die sechs Jahrzehnte, die auf die Herrschaft Bélas des Blinden folgten, erwecken den Eindruck eines Karussells. Bestimmte Motive wiederholten sich bis zum Überdruß: Thronstreitigkeiten, Feldzüge mit wechselvollem Ausgang, mehr oder weniger friedlich verlaufende Durchzüge von Kreuzfahrern usw. Dennoch ist die Bilanz im Grund positiv. Insbesondere gilt das für die Herrschaft Bélas III. (1173–1196), der erst Anna von Châtillon, dann Margarete Capet ehelichte. Beide Damen sorgten dafür, daß am Hof französischer Stil Einzug hielt. Kaiser Friedrich I. Barbarossa wurde empfangen, wie es seinem Rang gebührte. Dem Beispiel des Königs nacheifernd, folgte auch der Hochadel mehr und mehr den Modeströmungen Europas, was nicht wenig zum Anschluß des Landes an den Welthandel beitrug. Der Sohn Bélas III., Andreas II. (1205–1235), war im Gegensatz zu seinem puritanischen, besonnenen Vater ein prunk- und vergnügungssüchtiger, ehrgeiziger und leichtsinniger Mann. Er ließ sich in einen unheilvollen Krieg auf russischem Boden ein und unternahm – als erster ungarischer König – einen Kreuzzug, den er mit Anleihen finanzierte. Als Gegenleistung für gemietete Schiffe überließ er Venedig den seit langem zu Ungarn gehörigen Hafen Zara. Über Zypern gelangte er ins Heilige Land, doch dort gingen ihm alle Vorräte aus, ohne daß er den Ungläubigen eine echte Schlacht geliefert hatte. Beschämt heimgekehrt, klagte er 1218 in einem Brief an Papst Honorius III.:

„Als wir auf unserer Pilgerfahrt schon jenseits des Meeres weilten, erfuhren wir des öfteren durch Boten, jeden Zweifel ausschließend, daß in unserem Land die Keime der Zwietracht unsäglich aufblühten. Deshalb haben wir, erschüttert durch eine derartige Gefahr und durch soviel böse Kunde, nicht duldend, daß die junge Saat des Christentums in unserem Lande zugrundegehe, gezwungenermaßen und schweren Herzens das Heilige Land verlassen. Als wir dann nach vielen Gefahren unterwegs in Ungarn ankamen, mußten wir noch gemeinere Missetaten entdecken, als sie uns berichtet worden waren, und sie wurden gleichermaßen von Männern der Kirche wie auch von weltlichen begangen. Sie waren so zahlreich und schrecklich, daß wir es für unnötig halten, sie schriftlich Eurer Heiligkeit zur Kenntnis zu bringen, da doch das Ausmaß der verübten Missetaten Euren scharfen Augen kaum verborgen bleiben konnte. Möge Eure Heiligkeit ebenfalls erfahren, daß wir nach unserer Rückkehr in die Heimat nicht unser Ungarland vorfanden, sondern ein vielgeplagtes Land, beraubt seiner sämtlichen fiskalischen Einkünfte, so daß wir weder imstande sind, unsere Schulden, die uns unsere Pilgerfahrt beschert hat, zu begleichen, noch unser Land auch nur in fünfzehn Jahren zu seinem früheren Zustand zurückzuführen."

Er sollte Recht behalten. Andreas II. herrschte noch 17 Jahre. Im Jahr 1222 wurde seine berühmte Goldene Bulle erlassen, die die erschütterte Rechtsordnung wiederherzustellen trachtete, indem sie vielfältigen Eigenmächtigkeiten einen Riegel vorschob, wobei nicht zuletzt die königliche Macht beschnitten wurde. Der Hochadel wurde ermächtigt, falls der König oder dessen Nachkommen die Bulle verletzen sollten, bewaffneten Widerstand zu leisten. Und das ist das Werk eines Herrschers, dessen erste Frau, Gertrud von Andechs-Meranien, von hochadligen Verschwörern getötet wurde, weil sie über ihre fremdländische Hofhaltung und prunksüchtige Lebensweise empört waren. (Davon handelt das bekannteste historische Drama der ungarischen Literatur, József Katonas „Ban Bánk".) Ihr Grabmal wurde in Pilisszentkereszt um 1221 vom französischen Architekten Villard de Honnecourt aus der Picardie errichtet.

Im folgenden hat es den Anschein, als fiele der Apfel weit weg vom Stamm. Elisabeth, eines der Kinder der sinnenfrohen Gertrud und des leichtsinnigen Andreas II., wurde vom thüringischen Markgrafen Ludwig IV. geehelicht. Mit Elisabeth erweiterte sich später die Reihe der Heiligen aus dem Arpadenhaus. Heute noch wird ihr auf ungarischem wie auch auf deutschem Boden größte Verehrung erwiesen.

Béla IV. (1235–1270), der seinem Vater auf dem Thron folgte, wurde vor Aufgaben gestellt, die fast denen Stephans des Heiligen glichen.

Wir erwähnten schon den Dominikanermönch Julian. Sein Verdienst war zweifach. Er wies die Existenz der Ungarn nach, die im entfernten Magna Hungaria verblieben waren, und brachte Kunde vom Vordringen der Mongolen, die bald auch die neuentdeckten Brüder hinwegfegen sollten. Oder war der Mönch Julian gerade deshalb zu den Ungarn in Baschkirien aufgebrochen – hatte ihn deshalb der König auf die Reise geschickt –, weil er von der Gefahr aus dem Osten wußte und darum die vor Jahrhunderten getrennten Zweige der Ungarn zusammenführen wollte? Sicher ist nur, daß die mongolischen Stammesführer gerade in jenem Jahr 1235 in Karakorum einen Generalangriff auf Europa beschlossen und mit der Führung den Enkel Dschingis Khans, Batu Khan, betrauten, als die geheiligte Krone der ungarischen Könige auf das Haupt Bélas IV. gelangte. Die Mongolen wußten, wo sie hinwollten. Aus russischer Hand gelangte bereits 1237 ein Drohbrief der Mongolen zu Julian, adressiert an Béla IV., in dem sie den ungarischen König frühzeitig, noch von ihren Ausgangsstellungen aus, zur Unterwerfung aufforderten.

Unterdessen wollte der Papst Béla IV. dazu bewegen, die bogumilischen Ketzer auf dem Balkan auszurotten. Doch der König traf Vorbereitungen zur Abwehr des Mongolensturms. Wenn schon sein Ruf die in Baschkirien lebenden Ungarn nicht erreicht hatte, so nahm er jetzt die Überreste des von Batu Khan geschlagenen und gejagten Volkes der weitschichtig verwandten Kumanen auf, die den gleichen Weg gegangen waren wie die Ungarn bei der Landnahme. Als dann Batu Khans Heer über den Vereckepaß in das Karpatenbecken hineinflutete, gelang es Béla doch nicht, sich ihm mit einer entsprechenden Streitmacht entgegenzustellen. Obendrein wurden die halbheidnischen Kumanen, die auf einer ähnlichen Stufe der gesellschaftlichen Entwicklung und der Moral standen wie Árpáds Volk um 895, von den Ungarn mit Schaudern betrachtet. Sie hielten sie für eine Vorausabteilung der Mongolen. Ihr Fürst Kötöny wurde in Buda ermordet. Die Kumanen versagten daraufhin den Beistand und zogen nach Süden. Auf ihrem Weg zersprengten sie gar die gegen Batu Khan anrückenden Truppen des Bischofs von Csanád.

Das Land fiel den Tataren – wie wir sie nun nennen wollen, weil doch der Tatarensturm aus dem Gedächtnis der Ungarn nicht auszulöschen ist – zur Beute. Einige Städte blieben zwar verschont, und ein Teil der Bevölkerung entkam durch die Flucht in Wälder und Sümpfe, dennoch war die Verwüstung gewaltig. Nach der Schlacht bei Muhi – wo das Gros der Ungarn, die sich hinter Packwagen verschanzt hatten, von den Pfeilen der Tataren niedergemetzelt wurden, bevor es überhaupt zum Kampf Mann gegen Mann kam – floh Béla IV. mit seiner Familie bis nach Dalmatien. Da ihn jedoch die tatarischen Reiter auch dort noch verfolgten, mußte er aus der Stadt Trau an der Adria auf die Insel Zirona flüchten, um das nackte Leben zu retten. Jetzt erhielten die Ungarn die Lektion, die sie auf ihren Streifzügen dem westlichen Europa hatten zuteil werden lassen. . .

Man behauptet oft, dies sei der erste große Angriff der Heiden auf Europa gewesen, den die Ungarn mit ihrem

Leib aufgehalten haben. Die „Investition" des Westens, die Bekehrung der aus dem Osten gekommenen Ungarn zum Christentum, begann Früchte zu tragen. Unbestritten sind das Karpatenbecken und der Balkan das westlichste Gebiet, in das die Tataren vordrangen. Doch es war nicht dem zersplitterten schwachen Widerstand der Ungarn zu verdanken, daß ihr Ansturm in diesem Raum abrupt endete. Vielmehr wendete Batu Khan auf die Nachricht vom Tod des Groß-Khans Ögädai seine Truppen und begab sich auf den Heimweg, um sich um die Thronfolge zu bewerben.

Zwar drang die Kunde eines neuerlichen Tatarensturmes auch später des öfteren ins Land, doch ein Feldzug wie jener von 1241/42 fand nicht mehr statt. Doch ganz schwand die Tatarengefahr auch in den folgenden Jahrhunderten nicht. Insbesondere Siebenbürgen und die Szekler sollten noch viel zu leiden haben – zuletzt unter den Streifzügen kleinerer oder größerer tatarischer Scharen, die häufig als Verbündete der Türken operierten.

Auf Trümmern begann Béla IV., sein Land neu aufzubauen. Nach dem Tatarensturm förderte er die Urbanisierung, ermunterte den hohen Adel zum Bau von Burgen, was allerdings riskant war: Wer nämlich über eine Burg herrscht, neigt allzuleicht zum Widerstand gegen den König! Béla forderte die Kumanen Kötönys, die auch im Süden nicht heimisch geworden waren, zur Rückkehr auf. Generell war er bemüht, die entvölkerten Gebiete neu zu besiedeln. Die starke ethnische Vermischung im Karpatenbecken setzte sich fort. Der Neuaufbau diente der Festigung der klassischen feudalen Ordnung.

Uns ist bekannt, daß der Ehe Bélas IV. mit der Tochter des Kaisers von Nikaia, Maria Laskaris, zehn Kinder entstammten. Die selige Kunigunde heiratete den polnischen Herzog Boleslaw, Elisabeth den bayerischen Herzog Ludwig I., Anna den russischen Fürsten Rastislaw, Konstanze den Fürsten von Halitsch Leo, die selige Jolanthe den polnischen Herzog Boleslaw den Sanftmütigen, Margarete die Ältere – vermutlich war sie mit dem Herzog von Macsow verlobt – und Katharina starben während der Flucht nach Dalmatien in der Burg Clissa. Margarete die Jüngere dagegen wurde von ihren Eltern, da sie inmitten der tatarischen Gefahr ein Gelübde abgelegt hatten, zur Braut Christi bestimmt und ins Kloster gesteckt. Doch später wünschte Béla, da er keine ledige Tochter mehr hatte, sie aus dynastischen Gründen mit dem böhmischen König Ottokar II. zu verheiraten. Der angehende Bräutigam war zwar von der Schönheit der jungen Nonne bezaubert, doch Margarete schlug den Eltern den Wunsch ab und weigerte sich, ihre jungfräulichen Schwestern zu verlassen. Im Kloster auf der Haseninsel zwischen Buda und Pest verrichtete sie die niedrigsten Arbeiten und fristete das kümmerliche Dasein einer Dienstmagd. Ihre lieblose Zelle vertauschte sie nicht mit Königsthron und Ehebett. Auch sie vermehrte die Reihe der Heiligen aus dem Arpadenhaus; nach ihr wurde die ehemalige Haseninsel in Margareteninsel umbenannt.

Von den zwei Söhnen Bélas IV. nahm Béla die Tochter des Markgrafen von Brandenburg zur Frau. Der Thronfolger Stephan, der an Kriegstugenden reich war, sich aber mehrfach gegen seinen Vater auflehnte und später als Stephan V. zwei Jahre auf dem Thron saß, heiratete die halbheidnische Kumanin Elisabeth, die ihren Mann an die ungebundene nomadische Lebensführung in der Pußta gewöhnte, wobei sie ihm den grauen Alltag womöglich mit Sklavinnen verschönte. Ihm folgte auf dem Thron der minderjährige Ladislaus IV. der Kumane (1272–1290), an dessen Stelle lange die Mutter sowie wechselnde Barone die Macht ausübten. Er heiratete die Königstochter Isabella aus dem Haus Anjou in Neapel. Eine große Wende der ungarischen Geschichte warf damit ihre Schatten voraus.

Die Logik, mit der der weise Béla IV. die Besitztümer und die Macht des Hochadels im Interesse der Verteidigung des Landes vermehrte, verkehrte sich in ihr Gegenteil: Es folgte die Epoche der schwachen Könige und der mächtigen Regionalherren, die Jahre und Jahrzehnte der feudalen Anarchie. Das Geschlecht der Csák, später namentlich Máté Csák, wurde derart berüchtigt, daß sogar noch Anfang des 20. Jahrhunderts der Dichter Endre Ady von Ungarn als vom „Land des Máté Csák" spricht, wenn er gegen die „Freiheit" und Willkür des Adels protestiert.

Mit Andreas III. (1290–1301) starb das Arpadenhaus in der männlichen Linie aus. Doch das Land, das er als Erbe hinterließ, vermochte auch im zerrütteten Zustand Großes zu vollbringen. Eine neue Dynastie sollte zur Blüte bringen, was sie als Erbe vorfand. Sie sollte die Saat der Arpaden ernten.

Doch bevor wir darauf eingehen, sei angemerkt – wiewohl es die zeitliche Folge unterbricht –, daß die ersten Mystifikationen der ungarischen Geschichte noch aus grauer Vorzeit herrühren. Als solche erweist sich die nicht völlig unbegründete, aber doch übertriebene Betonung der Sagen vom Ursprung der Magyaren, z. B. der hunnisch-ungarischen Verwandtschaft. Die Epoche der Fürsten und Könige aus dem Arpadenhaus gab später der Nachwelt Anlaß zu zwei weiteren Mystifikationen. Die eine knüpft direkt an frühere an und erhebt das Geschlecht in mythische Höhen, wobei sie die gewaltigen Verdienste seiner hervorragenden Gestalten bei der Landnahme, bei Gründung und Aufbau des Staates auch den unwürdigen Nachkommen zubilligt, die das

reiche Erbe von Árpád, Géza, Stephan I., Ladislaus I., Béla IV. und anderen tüchtigen Herrschern ver-
geudeten. Allerdings ist eine Mystifikation dieser Art
bei jungen Nationen durchaus natürlich; ähnliche oder
noch krassere Beispiele findet man in der Geschichte
vieler Völker.

Die andere, später entstandene Mystifikation ist die
sogenannte „Doktrin der Heiligen Krone". Mit der ungarischen Königskrone – die nach ihrer Rückkehr aus
den Vereinigten Staaten, wohin sie nach dem Zweiten
Weltkrieg gelangt war, heute in einem Festsaal des Ungarischen Nationalmuseums zu sehen ist; ihr Alter und
ihre Herkunft sind sehr umstritten, sie stammt jedoch
ohne Zweifel in allen ihren Bestandteilen noch aus der
Zeit der Arpaden – verband sich im Laufe der späteren
Jahrhunderte die Vorstellung, sie verkörpere nicht nur
die königliche Macht, sondern auch das allgemeine
Staatsrecht, die Legitimität der Herrschaft.

Es ist eine Ironie des Schicksals, daß heute die Krö-
nungsinsignien – in ihrer Mitte die Königskrone – auf ihrem Ehrenplatz in mystischem Halbdunkel zu besichti-
gen sind. Als wollte man auch jetzt noch ihr sakrales
Wesen durch das Milieu betonen. Dabei ist das Halbdunkel nicht einmal ein Dekorationstrick, vielmehr hat
es einen rein praktischen Grund. Von den Krönungsin-
signien ist gerade diejenige, die mit Bestimmtheit aus
der Zeit Stephans I. stammt – der von Königin Gisela
und ihren Nonnen gestickte Krönungsmantel –, in
einem derart desolaten Zustand, daß sie nur gedämpftes
Licht verträgt.

Was nun aber das im Jahr 1301 im Mannesstamm aus-
gestorbene Arpadenhaus betrifft: In diesem Kapitel finden sich nicht deshalb so viele Angaben zu den dynastischen Beziehungen, weil wir die Geschichte des von ver-
dammten und begnadeten Königen regierten Landes,

die Geschichte vom 11. bis zum Ende des 13. Jahrhunderts, auf eine Familienchronik einengen wollten. Die konsequente Heiratspolitik, die im Arpadenhaus schon vor dem Namensgeber galt und bis zum Schluß praktiziert wurde, bedeutete zugleich, daß in den Adern der Arpadenkönige nicht nur kein Blut von Árpád, sondern fast gar kein ungarisches Blut floß. Aus demselben Grund befand sich das erste ungarische Herrscherhaus nicht nur ständig im machtpolitischen Wettstreit bzw. Bündnis mit den führenden Familien praktisch aller Nachbarstaaten und ganz Europas, sondern stand mit ihnen auch in engster blutsverwandtschaftlicher Beziehung.

Lilie und Rabe

Im Frühjahr 1300 begannen Karl II. der Lahme, Haupt des neapolitanischen Zweiges des Hauses Anjou mit dem Lilienwappen, König von Neapel und Sizilien, und seine Frau Maria, Tochter Stephans V. und der „Kumanin" Elisabeth, ihren erstgeborenen Enkel Karl Robert zur Fahrt nach Ungarn zu rüsten. Karl nahm für ihn sogar einen Kredit in Florenz auf (zum ersten, aber nicht zum letzten Mal). Seine Familiensorgen waren nicht gering: Wir wissen von 13 Kindern, die das Erwachsenenalter erreichten und ihren Vater mit einer Schar von Enkeln beschenkten. Er hatte reichlich zu tun, um für ihr Wohl zu sorgen.

Am 14. Januar 1301 starb Andreas III. aus dem Arpadenhaus. Schon zu Frühjahrsbeginn gelangte die Krone durch Vermittlung des Erzbischofs von Gran auf das Haupt von Karl Robert, doch war es nicht die echte Krone. Diese befand sich nicht in den Händen der Anjou-Partei. Durch den Erzbischof von Kalocsa wurde sie im August in Stuhlweißenburg dem böhmischen Thronfolger Wenzel aufgesetzt. Dieser war zu jener Zeit – wenn wir richtig informiert sind – erst zwölf Jahre alt. Karl Robert war immerhin älter – und zwar um ein ganzes Jahr.

Das darauffolgende Jahrzehnt verging mit erbitterten Thronkämpfen, indessen die Heilige Krone mal hier, mal dort auftauchte (so etwa auf der Stirn des bayerischen Herzogs Otto). Karl Robert wurde 1309 zum zweiten Mal gekrönt, aber immer noch trug er nicht die echte Krone. Zur endgültigen, wahrhaft rechtskräftigen Krönung kam es erst im Jahr 1310.

Werfen wir einen Blick auf das Europa im ersten Jahrzehnt des 14. Jahrhunderts: In Frankreich war die Epoche durch die Herrschaft Philipps IV. aus dem Haus Capet gekennzeichnet. Er besiegte die Tempelherren – bei denen er schwer verschuldet war – und schickte sie auf den Scheiterhaufen. Das Papsttum bekämpfte er so lange, bis sein Anhänger, der ehemalige Erzbischof von Bordeaux, Clemens V., den Sitz des Papsttums nach Avignon verlegte. Der englische König Eduard I. versuchte, Flandern an sich zu reißen. Gleiches versuchte Eduard II. mit Schottland. Frühe Formen des Parlamentarismus wurden in England durch die Willkürherrschaft von Günstlingen abgelöst. Auf deutschem Boden, im Heiligen Römischen Reich – das immer mehr zur Fiktion wurde –, schuf die Institution der Kurfürstenwürde eine neue Form der Machtteilung und -konzentration. Die aus der Schweiz stammenden, aufstrebenden Habsburger waren vorerst mit ihren österreichischen Besitzungen beschäftigt. Die von der Iberischen Halbinsel vertriebenen Mauren versuchten vergebens, dort neuerlich Fuß zu fassen. In Skandinavien geschah kaum etwas, das sich auf Europa auswirken konnte. In den norditalienischen Stadtstaaten ballte sich trotz innerer Kämpfe eine gewaltige Wirtschaftsmacht. Sie häuften enormes Kapital an und kontrollierten den Handel. Im Grunde sollte ihre Stellung erst nach der Entdeckung Amerikas erschüttert werden. Auf böhmischem Boden war trotz ständiger politischer Unruhen eine starke wirtschaftliche Entwicklung im Gange (Bergbau und Tuchherstellung). Polen war nach wie vor zerstückelt, auf lange Zeit war es dem Deutschen Ritterorden ausgeliefert. In der Moldau hatte der Mongolenüberfall nicht nur zwei Jahre Verwüstungen (wie in Ungarn) zur

Folge, sondern eine fast hundert Jahre dauernde Herrschaft der Goldenen Horde. Auf russischem Boden war die Lektion, die dem Deutschen Ritterorden erteilt wurde, vergebens. Nach der Verwüstung von Kiew konnten – allerdings nur unter tatarischer Oberhoheit – kleinere Fürstentümer bestehen, von denen zuerst das von Wladimir und später das von Moskau erstarkte. Im Westen des Landes befanden sich große Gebiete in polnischer bzw. litauischer Hand. Byzanz lag im Sterben, die Türken hatten sich Kleinasien längst einverleibt. Auffällig ist in ganz Europa – nach Osten hin weniger – das Wachstum der Städte und das Erstarken des Bürgertums.

Erreichte die Einfügung der Ungarn in Europa eine neue Stufe, als mit dem Haus Anjou eine westliche Dynastie ihre Herrschaft für nahezu ein Jahrhundert auf das Karpatenbecken ausdehnte? Oder sollten wir das anders deuten? Hatten nicht die beiden Könige aus dem Haus Anjou, Karl Robert und Ludwig der Große, eher den ungarischen Einfluß in alle Himmelsrichtungen verstärkt? Man kann es so und so sehen. Sicher ist, daß beide sich auf das geschützte Karpatenbecken und dessen menschliche und wirtschaftliche Kraft stützten. Angesichts dieser Tatsache ist ihre Herkunft von sekundärer Bedeutung.

Karl Robert mußte noch nach seiner dritten, endgültigen Krönung lange gegen die Barone kämpfen. Mancher von ihnen besaß ebenso große wirtschaftliche und militärische Macht wie der König selbst. Zum Glück vermochten seine Widersacher keine Koalition von Dauer zu bilden. Ja sie befehdeten einander sogar.

Der größte Erfolg Karl Roberts war das von ihm im Jahr 1335 in Visegrád veranstaltete mitteleuropäische „Gipfeltreffen", das im Schutz der mächtigen Hochburg und der Wasserburg im prächtigen gotischen Palast am

Donauufer stattfand. Daran nahmen außer dem polnischen und dem böhmischen König die Herrscher mehrerer bedeutender Herzogtümer und auch eine Gesandtschaft des Deutschen Ritterordens teil. Von den weitverzweigten Vereinbarungen, die hier getroffen wurden, betraf die wichtigste den Handel. Neue Handelswege wurden festgelegt und gegenseitige Vorteile festgeschrieben – zum Nachteil Wiens, dessen Stapelrecht ihnen allen viel Schaden zufügte.

Aber woher bekam der Anjou-König, der von Neapel mit einem Kredit Florentiner Bankiers aufgebrochen war, um den ungarischen Thron zu besteigen, soviel Autorität, daß die nördlichen Nachbarn in wirtschaftlichen Dingen auf ihn hörten? Nun, zu Beginn des 14. Jahrhunderts hatten sich Bergbau und Hüttenwesen – insbesondere die Gewinnung von Edelmetallen – in Ungarn weiterentwickelt. Infolge der Einrichtung von Zollstationen (Edelmetallabgabestellen) und Münzprägestätten war der König immer weniger auf die unsicheren Einkünfte seiner Besitzungen angewiesen. Karl Robert ließ in dem von ihm gegründeten Kremnitz einen Golddukaten (Gulden) prägen, den das Lilienmotiv zierte. Dieses Geld erwies sich als so wertbeständig, daß es als Kremnitzer Gulden fünf Jahrhunderte lang eine der stärksten Währungen Europas blieb. Es war ein wahrhaft internationales Zahlungsmittel. Dreihundert Jahre nach Stephan dem Heiligen wurde – man kann wohl sagen zum zweiten und letzten Mal – eine ungarische Münze in Umlauf gebracht, die auch auf dem internationalen Geldmarkt gern gesehen war.

Karl Roberts Sohn, Ludwig I. der Große, verwendete das angehäufte Kapital in den vier Jahrzehnten seiner Herrschaft (1342–1382) für machtpolitische Ziele. Im Süden behielt er Kroatien und Dalmatien mehr oder minder fest in der Hand, zugleich unternahm er immer

neue Anstrengungen, um Neapel seiner Familie zu erhalten. Im Südosten und im Osten kontrollierte er, als
Oberherr, die Gebiete entlang der unteren Donau. Im
Norden wurde er auf den polnischen Thron gewählt.
Die westliche Grenze war die einzige, wo er sein Reich
– die Bezeichnung ist wohl angebracht – nicht erweitern
konnte. Unter nostalgischen Seufzern spricht man mitunter noch heute von der schönen Zeit, als „Ungarns
Grenzen von drei Meeren umspült wurden" – von der
Ostsee, dem Schwarzen Meer und der Adria. Doch ist
es nicht illusorisch, dieses Reich als ungarisch zu
bezeichnen? Die Verbindung mit Polen bestand nur in
der Person Ludwigs des Großen als König von Polen.
Zudem hatte das polnische Königreich keinen Zugang
zur Ostsee, deren Küste vom Deutschen Ritterorden
beherrscht wurde. Bedenken wir auch, daß die übrigen
Eroberungen und feudalen Einbindungen ziemlich labil
und kurzlebig waren. Deshalb erscheint es uns eher angebracht, die Epoche Ludwigs des Großen nicht an der
Größe des von ihm beherrschten Territoriums zu messen, sondern aufgrund der realen Ergebnisse zu bewerten.
Es steht außer Zweifel, daß die vom Vater geerbte
wirtschaftliche Kraft nicht nur für Feldzüge reichte. An
Ludwigs Hof verbesserte sich die Verwaltung; Errungenschaften der hochentwickelten italienischen Stadtstaaten fanden Eingang. Von den weitreichenden internationalen Beziehungen des Königs profitierte die ungarische Kultur, die damals zwar noch stark kirchlich
geprägt war, durch allmähliche Verweltlichung aber
bereits der Renaissance den Weg bereitete. Im Auftrag
des Königs arbeiteten Buchmaler, Architekten, Bild-
hauer und Goldschmiede. Der König bereitete die
Hochzeit von drei Töchtern vor und wollte deshalb an
europäischen Höfen von sich reden machen. Als er

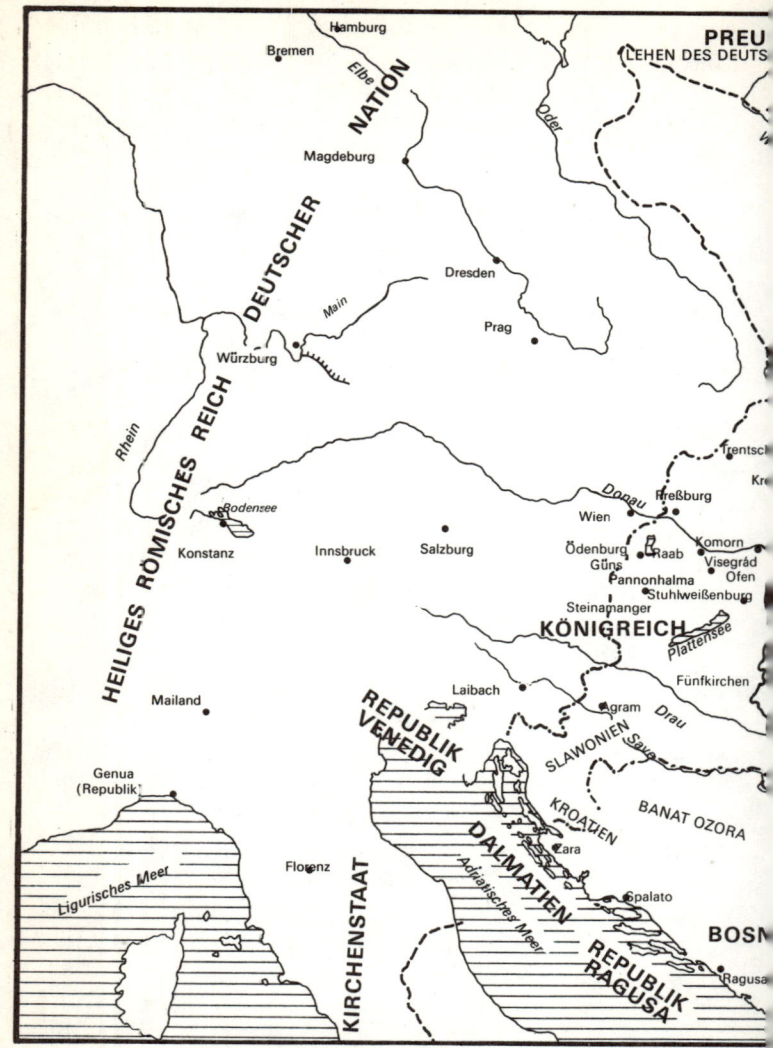

ERORDENS)

LITAUEN

Warschau

NIGREICH POLEN

Lemberg
GALIZIEN

Halitsch

PODOLIEN

KÖNIGREICH NEAPEL
(von 1348 bis 1351 unter ungarischer Herrschaft)

Neapel

rtfeld
Eperies
Kaschau

HALITSCH

Dnjestr

KIPTSCHAKER TATAREN

Miskolc
Theiß

Sa·hmar

MOLDAU

KUMANIEN

Pruth

Großwardein
Dés
Eistritz
Klausenburg

WOJWODSCHAFT
SIEBENBÜRGEN

Sereth

BESSARABIEN

GARN
Arad
Maros
Diemrich
Karlsburg

Temesvár
Hermannstadt
Kronstadt

BANAT
SZÖRÉNY

Alt

WALACHEI

Schwarzes Meer

NAT MACSOW

SERBIEN
BULGARIEN

AMSELFELD

OSMANISCHES REICH

·—·—· Ungarn zur Zeit des Aussterbens des Arpadenhauses

–––– Grenze des Reiches Ludwigs I. (des Großen)

ohne männlichen Nachkommen starb, stellte sich bald heraus, wie fragwürdig seine Eroberungen waren und welch hohen Preis er für sie hatte zahlen müssen. Insbesondere die tragische Verteidigung des neapolitanischen Throns, die ebenfalls der Feder Shakespeares würdig gewesen wäre, kostete viel. Auf eine Reise nach Neapel nahm Ludwig eine Menge geprägten Goldes mit, die einer sechsjährigen ungarischen und einer zweijährigen europäischen Goldförderung entsprach. Obendrein führte er eine Unmenge Silber mit. Doch dieser gewaltige Schatz war aus ungarischer Sicht zum Fenster hinausgeworfen.

Auf dem ungarischen Thron folgte ihm seine elfjährige Tochter Maria (1382–1395). Zwei Jahre darauf bestieg die damals zehnjährige Hedwig den polnischen Thron. Später teilten beide die Herrschaft mit ihren Männern. Maria machte mit 16 Jahren den brandenburgischen Markgrafen Sigismund von Luxemburg zum Mitregenten. Doch damit wurde dem Verfall nicht Einhalt geboten. Das Auftreten eines Gegenkönigs und dessen Tötung, Verschwörungen der Barone, Gefangennahme der Königin und ihrer Mutter, die Erwürgung der letzteren, Marias Befreiung – ein viele Jahre währendes Chaos. Als die junge, erst 24jährige Königin vom Pferd stürzte und sich das Genick brach, war Sigismund schon längst der tatsächliche Herrscher des Landes und sollte es noch über 42 Jahre bleiben. Im Laufe seiner genau ein halbes Jahrhundert umspannenden Herrschaft wehrte er jedoch lediglich das schlimmste Verhängnis ab, nicht aber den Verfall. Dies um so weniger, als seine Aufmerksamkeit – wie auch die seines Bruders, des deutschen und böhmischen Königs Wenzel – allzusehr durch kirchliche Konflikte in Anspruch genommen wurde: durch Hussitenkriege und Gegenpäpste.

Unterdessen führte Sigismund nur zwei Schlachten gegen das Osmanische Reich, das sich nach der Zerstörung von Byzanz dynamisch dem schwachen Unterleib Europas, dem Balkan, zuwandte. Beide Schlachten verlor Sigismund – ein böses Omen.

Die Nachfolger Sigismunds auf dem Thron verdienen – zumindest eine Zeitlang – kaum unsere Aufmerksamkeit. Denn in den Grenzfestungen im Süden tauchte in den Kämpfen gegen die Türken ein Heerführer auf, der seiner Zeit das Siegel seiner Persönlichkeit viel stärker aufdrückte als die Könige. Johann Hunyadi wird nach seiner Herkunft für einen Rumänen gehalten (obwohl sein Vater den alten ungarischen Namen Vajk trug), aber auch für einen natürlichen Sohn König Sigismunds. Doch das soll uns wenig bekümmern. Auch ihn weisen seine Taten aus. Vom Soldaten niederen Ranges wurde er zum berühmtesten Heerführer Europas im 15. Jahrhundert. Gegen Ende seines Lebens verfügte er über Ländereien im Ausmaß von etwa zwei Millionen Hektar. Sein Vermögen gab er fast ausschließlich für die Kriege gegen die Türken aus. Wir wollen hier nicht seine verlorenen und gewonnenen Schlachten aufzählen, sondern nur die eine erwähnen, deretwegen zur Mittagszeit die Glocken läuten.

Im Jahr 1456, drei Jahre nach der Eroberung Konstantinopels, begab sich Sultan Mohammed II. persönlich ins Feldlager, um die Erstürmung von Belgrad zu leiten. Das Entsatzheer Hunyadis setzte sich aus drei Elementen zusammen. Neben seinen Söldnern und dem ungarischen Adelsaufgebot wagte er – den noch anhaltenden bzw. erneut auflebenden Nimbus der Kreuzzüge nutzend –, auch das gemeine Volk zu den Waffen zu rufen, das schon mehrfach gegen seine Herren aufgestanden war. Die rechte Hand Hunyadis bei der Anwerbung der Kreuzfahrer, sodann bei der Führung der Schlacht war der sittenstrenge, feurige Franziskanermönch Johann Capistran, der später heiliggesprochen wurde.

Das christliche Heer errang einen entscheidenden Sieg. Der verwundete Sultan wurde von seinen Leibwächtern halbtot aus der Schlacht gerettet. Durch diesen Triumph von Belgrad wurde der drohenden osmanischen Expansion für nahezu ein Jahrhundert Einhalt geboten. Ein gewaltiger Zeitgewinn, allerdings mußte er genutzt werden. Doch allzuoft vernahm man nur den Glockenschlag.

Überall in der Welt, wenn von den christlichen Kirchen das mittägliche Glockengeläut ertönt, kündet es vom Sieg Johann Hunyadis bei Belgrad am 22. Juli 1456. Laut einer Version erließ Papst Calixtus III. diese Verordnung aus Freude über den Sieg. Doch in Wirklichkeit wurde sie schon früher und mit anderer Absicht erlassen. Bereits am 29. Juni befahl der Papst, die Glocken zu läuten, um den Himmel anzuflehen, die Schlacht, der er existentielle Bedeutung für die Christenheit beimaß, möge zugunsten Ungarns ausgehen. Trotzdem ist die erstere Version nicht ganz falsch. Denn daß das Mittagsgeläut zum ständigen Brauch wurde, ergab sich auch aus der allgemeinen Freude über die siegreiche Schlacht, aus der Feier des Triumphes.

Für Johann Hunyadi läuteten die Glocken nur wenige Wochen nach der Schlacht noch einmal: Es waren Totenglocken. Im Lager war die Pest ausgebrochen, die auch ihn hinraffte. Im Herbst starb Johann Capistran. Der Verlust dieser Männer, die den Triumph errungen hatten, stürzte das Land erneut in Anarchie. Angesichts des schwachen Königs stritten zwei Großfamilien um den Thron, und inmitten der wechselvollen Kämpfe ließ der König 1457 den älteren Sohn Johann Hunyadis, Ladislaus, enthaupten. Die Szene war grauenhaft. Bei der öffentlichen Hinrichtung, der der ganze Hof beiwohnte, sauste des Henkers Beil dreimal auf den Nacken des Jünglings nieder, doch dieser war noch immer am Leben. Gemäß dem Brauch der Zeit hätte er nunmehr Anspruch auf Gnade gehabt. Doch Ladislaus V. – der erst 17jährige, doch schon verbrauchte, nervenkranke Flegel – gab einen Wink: Ladislaus Hunyadi wurde niedergerungen, und endlich nach dem vierten Hieb rollte sein Kopf. Der König floh kurz darauf nach Wien und ließ sich dann in Prag nieder. Als Geisel schleppte er den jüngeren Sohn Hunyadis, Matthias, mit. Soll man die Hand des Schicksals darin erblicken, daß Ladislaus V. noch im Herbst des gleichen Jahres der Pest zum Opfer fiel?

Sein Nachfolger wurde die alsbald freigelassene Geisel Matthias Hunyadi (1458–1490). Vom Adel, der sein Lager in Pest aufgeschlagen hatte, wurde er auf romantische Weise – auf der zugefrorenen Donau, zu Füßen der Budaer Burg – zum König gewählt. Doch zuvor mußte mit den in der Burg tagenden, untereinander zerstrittenen Baronen, die das Land in der Hand hatten, hart gefeilscht werden.

Endlich hatte also Ungarn erneut einen Nationalkönig, wenngleich dieser Begriff für jene Zeit kaum anwendbar ist. Und obwohl über den erst 15jährigen König noch ein paar Jahre die Hunyadi-Familie die Vormundschaft ausübte, erwies sich der junge Matthias des Wappenvogels der Familie, des Raben, schon bald als würdig. Der Rabe galt im Volk als starker und kluger Vogel. Heute reden die Ungarn vor allem vom Renaissancehof des Matthias: von Glanz und Reichtum, von der geistigen Atmosphäre dieses Hofes. Es war italienischer Geschmack, der die Budaer Burg, das Schloß Visegrád, ja nahezu das Antlitz des ganzen Landes wieder neu prägte, und zwar auf eine Art, daß man dabei nicht nur von Nachahmung, sondern auch von gegenseitigem

Einfluß sprechen kann. So war etwa der in Italien erzogene spätere Bischof Janus Pannonius als Meister der lateinischen Lyrik in allen humanistischen Zentren Europas bekannt. Über diese Epoche wissen wir relativ viel, allein schon deshalb, weil am Hof Matthias' häufig führende Humanisten verkehrten, sich zuweilen dort auch niederließen. Seine Bibliothek, die Bibliotheca Corviniana, entwickelte sich zur bedeutendsten in Europa nördlich der Alpen.

Die ungarische Wirtschaft wurde modern verwaltet und besteuert. Den Kern des Heeres bildete – nachdem Matthias hatte versprechen müssen, das Adelsaufgebot nur im Notfall zu verkünden – ein Söldnerheer, die Schwarze Schar.

Anfangs wollte Matthias den Kampf seines Vaters gegen die Türken auf dem Balkan fortsetzen. Doch fühlte er, sich nach Osten wendend, seinen Rücken ungeschützt. Sein Trachten galt sowohl dem böhmischen als auch dem österreichischen Thron. Einen schlagkräftigen Donaustaat, ein Reich wollte er gründen. Das eine Mal wuchsen seine Kräfte im Kampf, das andere Mal blieb er ohne Erfolg. Seine Ehen mißlangen, blieben kinderlos – mit der Böhmin Katharina Podiebrad ebenso wie mit Beatrix von Neapel. Letztere steht im Verdacht, die Mörderin ihres Mannes gewesen zu sein. Matthias starb entweder an einer plötzlichen Magenerkrankung oder durch eine vergiftete Feige, zu einer Zeit, als er seinem mit einem Wiener Bürgermädchen gezeugten Sohn Johannes Corvinus die Thronfolge durch Erhebung in den Prinzenrang, Vermachung von Ländereien und Werbung von Parteigängern sichern wollte.

Wenngleich Matthias jahrzehntelang gegen die Türken rüstete, waren doch die meisten seiner Feldzüge nicht in Richtung Balkan, sondern gegen Norden und Westen gerichtet. „Und die stolze Burg von Wien [ließest] Mátyás' Heer erstürmen", sang noch Jahrhunderte später der Dichter Ferenc Kölcsey. Doch verlor Matthias eher, was er zu gewinnen trachtete. Die verfügbare Streitmacht gegen die Gefahr aus dem Osten, gegen den aufsteigenden osmanischen Halbmond wurde nicht größer, sondern eher kleiner.

Die Nachwelt beweinte Matthias in Legenden, erhob ihn zum Volkshelden. Matthias war der Gerechte, der verkleidet das Land bereiste, betrügerische Richter strafte, habgierige Reiche beschämte, den Armen beistand, mit rassigen Schäferinnen und zarten Jungfrauen seine Liebschaften hatte.

Unter den eifrigen Bewerbern um den Thron, die nicht mit Versprechungen geizten und ihrem Anspruch mit Truppen Nachdruck verliehen, wurde auch Johannes Corvinus von den ungarischen Baronen abgewiesen, die bereits vor Matthias' Tod wieder erstarkt waren. Sie beriefen den böhmischen König Wladislaw II. (1490–1516) aus dem Haus Jagello auf den Thron, da er ihnen am meisten beeinflußbar erschien. Dieser heiratete insgeheim sogar die verwitwete Beatrix, als ihm die ungarische Krone noch nicht ganz sicher war. Später erklärte er die Ehe für null und nichtig, da sie angeblich durch Gewalt geschlossen worden war. Über ihn nur noch so viel, daß er, gefügig wie er war, die Hauptstütze des Throns, die Schwarze Schar, auflöste. Damit war die Zentralmacht dahin, das Land litt unter unsicheren Rechtsverhältnissen, der Ausbeutung der Leibeigenen und feudaler Anarchie.

Erneut brach eine Epoche an, die nicht von Königen geprägt wurde, sondern zunächst von einem ehrgeizigen Priester, dann von einem Volkshelden und schließlich von einem fanatischen Juristen. Der Sprößling einer leibeigenen Familie, Thomas Bakócz, Bischof von Raab und Erlau, später Erzbischof von Gran, war wahrlich eine Renaissancefigur. Ehedem Sekretär bei Matthias, wurde er bevollmächtigter Vertreter Wladislaws II. Mit Wagen, vollgeladen mit Gold, zog er in Rom ein, wo er bis zum Tod von Papst Julius II., Michelangelos großem Mäzen, ausharrte. Im Konklave unterlag er nur knapp Giovanni de' Medici, der als Leo X. den päpstlichen Thron bestieg. Der neue Papst entschädigte Bakócz mit dem Recht, einen Kreuzzug zu verkünden. Dahinter steckte freilich die Absicht, ihn aus dem Vatikan zu entfernen.

Zu Hause begann Bakócz mit der Anwerbung der Soldaten, das Heer versammelte sich unter der Fahne. Lauter Bauernvolk. Es gab nur wenige Säbel, um so mehr Sensen und Knüppel. Während Bakócz den päpstlichen Thron im Auge hatte, wollte der König einen kleinen Kriegserfolg verbuchen. Dem Adel ging es um Ableitung der inneren Spannungen. Das Volk wurde von Verbitterung angetrieben, keineswegs vom Glauben oder vom Eifer, den Türken zu widerstehen. Und bei weitem nicht nur die ärmsten, meistausgebeuteten Leibeigenen waren verbittert, sondern auch die wohlhabenderen aus den Marktflecken der Tiefebene. Gerade sie, die einen festeren Zusammenhalt besaßen und die sich neben der Warenproduktion auch an der Ausfuhr beteiligten, versuchte der Adel aus Konkurrenzangst zurückzudrängen.

Überraschenderweise wurde nicht irgendeine mächtige weltliche oder kirchliche Persönlichkeit zum Führer des Heeres berufen, sondern ein Kleinadliger aus Siebenbürgen, der Szekler Landleutnant György Dózsa. Die eifrigsten Anwerber und Seelsorger seines Heeres waren Franziskanermönche, die zum strengsten Zweig dieses Ordens, den Observanten, gehörten. Zumeist entstammten sie dem Volk. Sie waren der Meinung, daß Gottes Gesetze die Ungleichheit der Vermögen nicht rechtfertigen. Später sollten die hohen kirchlichen Behörden gegen sie Verfahren einleiten, um sie zu rügen und zu bestrafen. Noch später gingen aus ihren Reihen die ersten Prediger des Protestantismus in Ungarn hervor.

Die im Jahr 1514 unter dem Kreuz versammelten Heere zogen nicht gegen die Heiden, sondern gegen ihre eigenen Herren. Das Land geriet an allen Ecken in Brand. Ströme von Blut flossen. Adelsschlösser brannten lichterloh. Die Herren zogen sich auf ihre Burgen zurück, wurden belagert und rüsteten zum Gegenangriff. Der Woiwode von Siebenbürgen war schon unter Matthias ein mächtiger Herr. Johann Zápolya – ein Mann der Adelspartei – wurde zum militärischen Führer der Niederwerfung der Bauernrebellion. Als Dózsa, der nur allmählich bewußt die Führung des Volksaufstandes übernommen hatte, gefangengenommen wurde, ließ ihn Zápolya als „Bauernkönig" auf einen glühenden Thron setzen und ihm eine feurige Krone aufs Haupt stülpen. Seine Unterführer wurden gezwungen, von seinem Fleisch zu essen.

Doch das war nur der erste Akt der Rache. Der Jurist István Werbőczy schrieb das „Tripartitum" (Dreigeteiltes Buch des Gewohnheitsrechtes), worin der Rahmen für das Verhältnis zwischen Leibeigenen und Adligen auf Jahrhunderte festgelegt wurde. Es sei vermerkt, daß das „Tripartitum", das in erster Linie die Interessen des niederen Adels zu wahren trachtete, infolge der andersgelagerten Interessen der Barone formal nie in Kraft trat. Als Gewohnheitsrecht wurde es dennoch zur bestimmenden Rechtsquelle.

Der Name des Thomas Bakócz ist heute meist nur noch Historikern und – wegen der Bakócz-Kapelle in Gran – den Kunsthistorikern bekannt. Dózsa und Werbőczy hingegen sind bis heute als Symbole der Unversöhnlichkeit im nationalen Bewußtsein haftengeblieben.

Vom Reichtum der gotischen Kunst der ungarischen Anjou-Zeit besitzen wir erst seit kurzem eine klare Vorstellung. Und dies verdanken wir nicht zuletzt der Zerstörung. Infolge des raschen Geschmackswandels im 15. Jahrhundert und hastig betriebener Umbauten geriet – zweifellos auf barbarische Weise – eine ganze Reihe gotischer Meisterwerke unter die Erde, wurde unter Ruinen begraben. Im Sockel von Zierbrunnen aus der Zeit König Matthias' kamen im ehemaligen Renaissanceschloß von Visegrád Bruchstücke von Brunnenskulpturen aus der Anjou-Zeit zum Vorschein. In der Budaer Burg stießen die Archäologen auf einen ganzen „Friedhof" von Skulpturen aus derselben Zeit.

Im fahlen Licht des Halbmondes

In der Zwischenzeit hatte Kolumbus längst die Neue
Welt entdeckt (1492) und die Fahrt über den Atlanti-
schen Ozean dreimal wiederholt. Die Kräfteverhältnisse in Europa hatten sich verschoben. Die stolze
Adria war zum peripheren Winkel der Mittelmeerregion
herabgesunken. Die dalmatinischen Häfen, unlängst
noch stolze Stadtstaaten, waren zu unbedeutenden Fi-
scherdörfern verkommen. Venedig erlebte seine Glanzzeit – bevor es in lange Agonie fiel. Anstelle der italienischen wurde die Iberische Halbinsel vorübergehend
zum wirtschaftlichen Kraftzentrum. In der englischen
Tuchindustrie begann sich etwas zu entwickeln, das man
später als Kapitalismus bezeichnen sollte.

Unterdessen heftete Martin Luther seine Thesen an
die Pforte der Wittenberger Schloßkirche (1517). Wir
betrachten hier ein Zeitalter, das von der Mitte des
15. Jahrhunderts bis zum ersten Drittel des 17. Jahrhunderts reicht. In diesem Zeitraum verlagerten sich die
Zentren Europas nach Nordwesten. Dort begann allmählich die Lohnarbeit die Leibeigenschaft abzulösen.
In dieser Epoche bildete sich auch die Ethik des Protestantismus heraus. So wurden die Waffen für den Sieg
des Bürgertums geschmiedet, das im Feudalismus nur
da und dort geduldet worden war.

Dazu noch zwei Anmerkungen, deren wahrer Sinn
sich beim Betrachten eines längeren Zeitraums er-
schließt. Zum einen: Infolge der überseeischen Entdek-
kungen und Eroberungen hatte Europa, selbst arm an
Edelmetallen, diese plötzlich im Überfluß, so daß sich

Preise und Tauschverhältnisse kräftig veränderten. Zum anderen: Die Zahl der Einwohner Ungarns und Englands war zur Zeit von König Matthias etwa gleich. Heute beträgt die Relation eins zu fünf.

Die Partei von Zápolya und Werbőczy, die 1514 den Sieg über die Bauern davongetragen hatte, war so gierig, daß sie den Fuggern die Grubenkonzession entzog, aber einfach „vergaß", den Bergarbeitern Lohn zu zahlen. Nun folgte auf den Bauernaufstand die Revolte der Bergknappen, sie wurde niedergeschlagen, die Rädelsführer wurden bestraft. Was Wunder, daß es an Geld für den Krieg gegen die Türken fehlte, die im Süden eine Burg nach der anderen stürmten. Vergebens läuteten die Glocken, im Jahr 1521 fiel auch das legendäre Belgrad. Fünf Jahre später, 1526, entschloß sich Suleyman II. der Prächtige zu einem großangelegten Feldzug. Das geschah zu einer Zeit, als das Land noch tief im Trauma des brutal erstickten Bauernaufstandes von 1514 steckte.

Der Sohn Wladislaws II., König Ludwig II. (1516–1526), zu jener Zeit 20 Jahre alt und ein schwächliches Bürschchen, vermochte insgesamt 26 000 Mann gegen die Türken im Süden zu führen; vergebens wartete er auf das 10 000 Mann starke Heer Zápolyas. Bis heute ist die Frage offen, ob nicht Zápolya, der nach dem Thron gierte, bewußt die Hilfe versagte. Das ungarische Heer versuchte nicht einmal, am strategisch wichtigen Flußübergang an der Grenze Stellung zu beziehen, sondern erwartete den Feind auf offenem Feld bei Mohács, wo die türkischen Heere ihre drei- bis vierfache Übermacht an Soldaten und ihre noch größere Artillerieüberlegenheit voll entfalten konnten. Die Niederlage war katastrophal. Im Kampf fielen die Erzbischöfe von Kalocsa und Gran, fünf Bischöfe, eine große Zahl von Baronen und mehr als 10 000 Krieger. Ludwig II. versuchte zu

fliehen. Sein Pferd stürzte in einen Hochwasser führenden Bach und begrub den Reiter unter sich. Laut einer
anderen Version machten erboste Barone dem König
den Garaus. (Seine Witwe, Maria von Habsburg, ließ
den gesamten Schatz des Königs auf ein Schiff laden und
floh auf der Donau nach Wien. Später machte sie agil
die Ansprüche auf den ungarischen Thron geltend.
Über ein Vierteljahrhundert sollte sie dann erfolgreich
die Geschicke der Niederlande steuern; ihre letzten
Jahre verbrachte sie in Spanien.)

„Unsres nationalen Glanzes Friedehof, Mohács. . .“? Die Niederlage bei Mohács ist im Bewußtsein der Ungarn als Schicksalswende verbucht, wie bei
den Franzosen Waterloo oder Verdun, bei den Österreichern Wagram. Zu Recht? Unlängst entdeckte man
einige der seit langem gesuchten Massengräber auf dem
Schlachtfeld von Mohács. Ludwig II. hatte 1526 zunächst die Mobilmachung eines Fünftels, später der
Hälfte und schließlich aller Leibeigenen angeordnet.
Die Zeit hätte gereicht, diese Anordnung durchzufüh-
ren. Doch kam es nicht dazu, vielleicht wirkte noch das
abschreckende Beispiel von 1514 nach. Die meisten der
in den Gräbern agnoszierten Toten erwiesen sich als
fremde Söldner. Obwohl die ungarische Führungsschicht bei Mohács große Verluste erlitt, blieb die
eigentliche ungarische Truppenstärke nach der Schlacht
nahezu unversehrt.

Dennoch konnten Suleymans Heere das Land ungehindert verwüsten, Zehntausende wurden in die Sklave-
rei verschleppt. Dann zog Suleyman in die ungeschützt
zurückgelassene Burg von Buda ein. Was Königin Maria nicht mitgenommen hatte, ließ nun er auf die Schiffe
bringen. Auch die schönsten Stücke der Bibliotheca
Corviniana waren darunter. Doch dann räumte er die
Burg, kurz darauf sogar das ganze Land und zog heim-

wärts. Das Verhalten der Türken war nur scheinbar unlogisch. Suleyman der Prächtige wollte nur seine Kraft demonstrieren, im übrigen war er bereit, einen ungarischen Herrscher zu akzeptieren, der sich mit einer beschränkten Souveränität begnügte.

Der unter diesen Bedingungen zum König gewählte Zápolya (1526–1540) führte manche Kämpfe mit dem Habsburger Gegenkönig Ferdinand I. (1526–1564), dem Bruder der verwitweten Königin Maria sowie des römisch-deutschen Kaisers und Königs von Spanien, Karl V. Diese Zeit wollen wir durch drei Episoden charakterisieren:

1. Fast genau ein Jahr nach der Schlacht schlägt Suleyman seine Zelte wieder auf der Blutwiese bei Mohács auf. Er bestellt Zápolya zu sich, das heißt den König Johann I., der dem Sultan mit einem Handkuß huldigt.

2. Im Jahr 1529 erobern die Türken Buda gegen den Widerstand der Truppen Ferdinands I., doch sie überlassen es Johann I., dem sie auch die von ihnen erbeutete Heilige Krone übergeben.

3. Die erneut ins Land gerufenen Fugger schließen einmal mit diesem, einmal mit jenem König Verträge zur Erschließung der oberungarischen Gruben ab.

So vergingen anderthalb Jahrzehnte, in denen der Sultan des öfteren versuchte, Wien einzunehmen. Im Jahr 1541 kam Suleyman erneut nach Ungarn, unter dem Vorwand, seiner Vormundschaft über Zápolyas Sohn, den minderjährigen König Johann Sigismund, zu walten. Ein paar hundert Janitscharen des unterhalb von Buda kampierenden Sultans „spazierten" in die Burg, wo sie plötzlich die türkische Fahne hißten. Auf diese Weise gelangte die ungarische Hauptstadt für anderthalb Jahrhunderte (1541–1686) in türkische Hand. Das nach Mohács zweigeteilte Land ist nunmehr in drei Teile gespalten.

Ein Streifen im Westen und im Norden wird dem dynamischen Habsburgerreich angeschlossen. Er ist gewissermaßen Schutzwall für die österreichischen Erblande und, zur Zeit der Aufmärsche der Türken gegen Wien, Pufferzone und Brückenkopf für erhoffte weitere Eroberungen im Osten.

Das mittlere Dreieck, dessen Spitze weit über Buda hinausragt und das die fruchtbare Tiefebene sowie die östliche Hälfte Transdanubiens, ferner etwas vom nördlichen Mittelgebirge sowie den südlichen Zipfel Siebenbürgens umfaßt, wird mehr und mehr in das Osmanische Reich eingegliedert.

Anstelle von Zápolyas Königreich bildet sich im Osten bald das Fürstentum Siebenbürgen heraus, das mehr oder weniger selbständig und für den Fortbestand der ungarischen nationalen Bestrebungen von größter Bedeutung ist. Der Protestantismus wird dort dominierend.

Wir wollen nun von Osten nach Westen vorgehen. Johann Sigismund verzichtete auf den ungarischen Königsthron und begnügte sich mit der Würde eines Fürsten von Siebenbürgen. Er sah sich zu diesem Schritt gezwungen, da die Unterstützung im Inneren gering und wechselhaft war und sich der Sultan nur so weit für ihn einsetzte, wie es der westlichen Expansion des Türkenreiches diente. Als Johann Sigismunds Nachfolger trat Stephan Báthori (1571–1586) an, der alsbald auch zum polnischen König gewählt wurde. Báthori, eine der größten Gestalten der polnischen Geschichte, errang seine glanzvollen Siege gegen den russischen Zaren Iwan IV. vorwiegend mit Szekler Soldaten aus Siebenbürgen. Nach seinem Tod wurde Siebenbürgen wieder sich selbst überlassen. Oder eher umgekehrt: Es fand noch weniger Ruhe im Würgegriff der beiden Rivalen – und wurde auch von eigener „Schizophrenie" geplagt.

UNGARN IN DER ZWEITEN HÄLFTE DES 16. JAHRHUNDERTS

Legende:

- königliche Freistadt und Bergstadt
- Marktflecken mit Festung
- Marktflecken
- historische Grenze Ungarns
- Grenze des Habsburgerreiches
- Grenze des türkisch besetzten Gebietes
- Grenzen der königlichen Oberhauptmannschaften
- Grenzen der türkischen Wilajets
- Stühle (Gerichtsbezirke) der Szekler bzw. Sachsen in Siebenbürgen
- Siebenbürgen angegliederte Gebiete (Partium)

MÄHREN

OBERHAUPTMANNSCHAFT DER BERGSTÄDTE

Neusohl
Kremnitz
Schemnitz
Tyrnau
Preßburg
Neuhäusel
Fülek
Wien
Komorn
OBERHAUPTMANNSCHAFT
Raab
Ödenburg
Güns
DONAU-PLATTENSEE
Gran
Ofen
Pest
OBERHAUPT-MANNSCHAFT
Pápa
Weißenburg
Cegléd
PLATTENSEE-
Veszprém
Kecskem
Plattensee
DRAU
Kanizsa
WILAJET BUDA
Donau
HABSBURG
Warasdin
WINDISCHE-OBERHAUPT-MANNSCHAFT
Szigetvár
Fünfkirchen
Szeg
Agram
Mohács
WILAJET KANIZSA
Drau
Save
Pozsega
WILAJET
KROATISCHE OBERHAUPT-MANNSCHAFT
Zengg
Adriatisches Meer
WILAJET BOSNIEN

POLEN

Käsmark • Bartfeld
• Leutschau

HAUPTMANNSCHAFT OBERUNGARN

A Kaschau • Munkács
R
N
Sárospatak •

olc • Tokaj •
au
Theiß
Szamos
Neustadt
•

Debreczin •

Großwardein • Bistritz •

Korös FÜRSTENTUM
• Klausenburg
• Neumarkt

Gyula • SIEBENBÜRGEN SZEKLERLAND

Maros Karlsburg •
SACHSENLAND

Temesvár • Diemrich • Hermannstadt •
Kronstadt •

ÁR

WALACHEI

rad

R   E   I   C   H

MOLDAU

Zunächst verbreitete sich die Hoffnung, daß man mit Hilfe der Habsburger die Türken verdrängen könnte, doch dabei ging – in einem Meer von Blut und Tränen – vorübergehend sogar die Selbständigkeit des Fürstentums verloren. Dem sich wieder den Türken annähernden Stephan Bocskai (1605–1606) wurde später vom Sultan sogar eine Königskrone zugesandt, aber soweit wollte Bocskai sich dem Osmanischen Reich doch nicht verpflichten. Er blieb Fürst, betrieb Schaukelpolitik und sammelte Kräfte.

Die Hauptquelle, aus der – der zu früh verstorbene – Bocskai die Kraft schöpfte, war das Szekler- und das Heiduckenheer. Die Ursprungs- und Siedlungsgeschichte der Szekler, die einen Teil Siebenbürgens bewohnen und grundsätzlich dem ungarischen Volksstamm angehören, stellt einen alten Streitpunkt in der Beschreibung der ungarischen Geschichte der Urzeit und des Mittelalters dar. Gesichert ist nur, daß die Szekler schon sehr früh – vielleicht schon vor Árpáds Mannen, vielleicht kurz nach ihnen – in die Grenzgebiete im Südosten und im Südwesten des Karpatenbeckens kamen, wo sie die Grenzwacht des sich herausbildenden ungarischen Staates darstellten. Ihre Sonderstellung verlor diese Gruppe der Szekler rasch, in Siebenbürgen aber hüteten sie jahrhundertelang mit wechselndem Erfolg ihren freien Rechtsstatus, der mit dem des niederen Adels vergleichbar war. Dabei fehlte es nicht an Versuchen, sie in die Leibeigenschaft zu zwingen. Als gefürchtetes Soldatenvolk waren sie stets bereit, jedwede Herrschaft, die ihre Freiheit wahrte oder wenigstens duldete, mit der Waffe zu unterstützen. Gegen ihre Unterwerfung protestierten sie mit einer Reihe von blutigen Aufständen. Indessen fielen sie massenhaft militärischen Strafaktionen zum Opfer, so etwa den Verheerungen der Tataren, die als türkische Hilfstruppen in

Siebenbürgen einfielen. Auch durch wiederholte Seuchen wurden sie dezimiert. In ihrer siebenbürgischen Nachbarschaft siedelten sich außerdem Sachsen an. Hinzu kamen rumänische Hirten aus der Moldau und der Walachei, die sich zunächst in den Bergen niederließen, später aber weiter in die Täler zogen. Die ethnische Zusammensetzung Siebenbürgens erfuhr so einen allmählichen Wandel.

Noch ungewisser ist die Herkunft der Heiducken, die bereits am Dózsa-Aufstand teilnahmen. Zum Teil waren es wahrscheinlich Südslawen, auf der Flucht vor den Türken. Ihnen schlossen sich Viehtreiber und flüchtige Leibeigene an. Sie wurden zu sogar für die damalige Zeit zügellos erscheinenden Freibeutern, die sich gern als Söldner verdingten. Seßhaft geworden, verteidigten sie später hartnäckig ihre Heiduckenfreiheit – im Grund die Existenzform freier Bauern – und verschmolzen zu einer Gemeinschaft, die fast schon als ethnische Gruppe definiert werden kann. (Offensichtlich waren die Heiducken, die in der Geschichte des Balkans, in den Kämpfen gegen die Türken eine Rolle spielten, gleichen Ursprungs.)

Das Dilemma Siebenbürgens, aber kaum minder auch des königlichen Ungarns – ob man mit den Türken gegen die Habsburger oder mit den Habsburgern gegen die Türken kämpfen sollte – fand seine Entsprechung in der religiösen Zerrissenheit: zwischen dem in Siebenbürgen überaus starken Protestantismus und der von Wien gesteuerten Gegenreformation. Und diese Spaltung beschränkte sich durchaus nicht auf den Glauben, auf das Seelenleben. Es entstand eine merkwürdige Situation. Während es keineswegs immer zutraf, daß der Katholik zu Wien, der Protestant zu Siebenbürgen hielt, bot das Fürstentum Siebenbürgen, etwa unter Gabriel Bethlen (1613–1629), ein in ganz Europa bewundertes

Beispiel der Glaubensfreiheit. Die Türken wiederum scherten sich wenig um den Glauben, die Bekehrung zum Islam betrieben sie kaum, und die christlichen Geistlichen konnten ziemlich frei ihres Amtes walten. Daneben lebte in Buda eine zahlenmäßig starke – nicht aschkenasische, sondern sephardische – jüdische Gemeinschaft. Religiöse Intoleranz und gewaltsame Bekehrungen waren Merkmale der militanten Gegenreformation, doch beschränkten sie sich auf den Landesteil der Habsburger.

Der zu Hause tolerante und umsichtige Bethlen ergriff gleichzeitig Partei in der internationalen Arena. Im Dreißigjährigen Krieg griff er aktiv auf der Seite der Protestanten in den Kampf ein. Mitunter konnte allein er Fronterfolge aufweisen, so daß seine deutschen, englischen, niederländischen und dänischen Verbündeten Luft schöpfen konnten. (In seinem Heer bildeten sich die Husaren heraus. Diese typisch ungarische leichte Kavallerie wurde später in anderen Ländern zur festen Waffengattung.)

Zu jener Zeit nahm die Zahl ungarischer Scholaren an den ausländischen Universitäten stark zu. Neben den Sprößlingen des Hochadels befanden sich auch Söhne aus leibeigenen Familien unter ihnen. Waren früher ungarische Namen eher in den Matrikeln italienischer Universitäten sowie in Krakau anzutreffen gewesen, so gelangten damals Studenten aus Ungarn auch an deutsche, niederländische und englische Universitäten – so nach Oxford und Cambridge. Unterdessen gründete Gabriel Bethlen eine eigene Hochschule in Tyrnau.

Auf kulturellem Gebiet, vor allem hinsichtlich der Entwicklung des Unterrichtswesens, war das siebenbürgische Fürstengeschlecht der Rákóczi durchaus, im militärisch-diplomatischen Bereich jedoch weniger erfolgreich. Geblendet vom Beispiel Stephan Báthoris, begann Georg Rákóczi (1648–1660) einen erfolglosen Kampf um den polnischen Thron. Der Sultan erteilte ihm eine Lektion, indem er seine tatarischen Hilfstruppen in Siebenbürgen einfallen ließ. Danach büßte das ausgeblutete, verstümmelte Fürstentum seine Rolle als Bollwerk der ungarischen nationalen Bestrebungen sowie seine geistige Ausstrahlung auf Mitteleuropa ein.

Die Türken dehnten die Besetzung über den mittleren Landesteil hinaus aus und verstärkten ihre militärische Präsenz. Grenzfestungen hatte es zwar schon früher gegeben und sollte es auch noch später geben, aber die eigentliche Zeit der Grenzkämpfe waren die anderthalb Jahrhunderte, in denen die Türken Buda besetzt hielten. An der sich häufig verschiebenden, im Zickzack verlaufenden Grenze zwischen türkischem und (königlich) ungarischem Territorium standen einander die Grenzfestungen feindselig gegenüber. Sie waren voller kühner Krieger, die schlecht bezahlt waren und von ihren Offizieren aus der Ferne kaum an der Leine gehalten werden konnten. Sie waren auf Plünderung angewiesen, lechzten jedoch nicht minder nach Kriegsruhm. Die Epoche war reich an willkürlichem Friedensbruch, listigen Überfällen, romantischen Zweikämpfen: Häufig wußte man nicht, ob Krieg oder Frieden herrschte; immer wieder kam es zu Kraftproben zwischen den Grenzsoldaten und der türkischen Besatzungsmacht.

So befanden sich denn die Bewohner des von den Türken eroberten Gebiets, soweit sie nicht verschleppt worden oder geflohen waren, in einer aussichtslosen Lage. Durch größere Feldzüge wurden sie dezimiert, aber auch von kleineren schwer getroffen. Die umherstreunenden Soldaten raubten ihnen häufig das Vieh. Auf beiden Seiten mußten sie Fronarbeit leisten, um die beschädigten Burgen wieder instand zu setzen. Immerhin beließen ihnen die Türken den Besitz und bemaßen ihre

Steuerforderungen meistens so, daß noch etwas zum Leben blieb. Schließlich sollte es auch später noch etwas geben, worauf Steuern erhoben werden konnten. Die verkümmerte ungarische Verwaltung wurde von der türkischen Administration und Gerichtsbarkeit eher ergänzt als ersetzt. Abgaben mußte das Volk auch den ungarischen Grundherren entrichten, die zwar vor den Türken geflohen waren, ihre Steuern aber regelmäßig eintrieben.

Dennoch war der besetzte Landesteil nicht völlig gelähmt. In der Tiefebene veränderte sich die Siedlungsstruktur: Die Bewohner kleiner Ortschaften zogen in große, von freiem Land umgebene Marktflecken. Mit einer gemeinschaftlich entrichteten Steuer erlangten sie ein gewisses Maß an Frieden und Unabhängigkeit. Das auf der freien Pußta gehaltene Vieh wurde weiterhin fast ohne Unterbrechung, wenn auch nicht ganz ungestört, nach Westen exportiert. Berittene Hirten trieben die riesigen Herden aus dem türkischen Teil Ungarns in österreichische, deutsche und italienische Städte. Die Beamten des Sultans erhoben lediglich an den Theiß- und Donauübergängen eine Steuer. Durch Bestechung der Zöllner konnten die Viehhändler sogar einen Steuernachlaß erreichen.

Der ungarische Tourist gerät heute in der Türkei ins Staunen: Dort ist das Bewußtsein der ethnischen Verwandtschaft zwischen Türken und Ungarn viel lebendiger als in Ungarn. Sie halten die Zeit nach Mohács, die Epoche Suleymans des Prächtigen für den glanzvollsten Abschnitt ihrer Geschichte. Damals hatte das Osmanische Reich seine größte Ausdehnung. „Damals, nicht wahr", sagen sie, „haben wir Ungarn gemeinsam regiert." Die Ungarn sehen das freilich anders. Das Bild der türkischen Herrschaft sollte aber auch nicht zu düster gezeichnet werden. Schwere Verwüstungen erlitt

Ungarn vor allem zu Beginn und am Ende dieser Epoche, in der Zeit der heftigsten Kämpfe. In der Zwischenzeit verhielt sich die türkische Administration – dort, wo sie auf Dauer bestand – durchaus vernünftig. Die Steuerlisten zeugen von guter Verwaltungsarbeit. Der Großteil der nichtmilitärischen Bauten, die unter türkischer Herrschaft auf ungarischem Boden errichtet wurden, waren entweder sakrale Bauwerke, wie Grabbauten, Moscheen und Minarette, oder aber Gasthöfe, Bäder sowie Brunnen und Quellfassungen. (Als Kuriosum sei erwähnt, daß nicht wenige ungarische Kinder, die geraubt und in der Janitscharenschule erzogen worden waren, in die höchste Führungsschicht des osmanischen Staates aufstiegen.) Der eigentliche Bruch in der Entwicklung Ungarns entstand daraus, daß das Land für anderthalb bis zwei Jahrhunderte aus dem Hauptstrom der europäischen Entwicklung herausgerissen war – was zum Teil nicht mehr aufzuholen war. Ferner mußten später viele Gegenden mit fremden Siedlern neu bevölkert werden, so daß sich die ethnische Struktur des Landes stark veränderte.

Kommen wir nun zum letzten, dem königlichen oder habsburgischen Drittel des Landes. Zwar war dessen oberungarischer Teil den Kämpfen zwischen Siebenbürgen und Wien ausgesetzt und erlebte mehrere Herrscherwechsel, doch zog er aus seiner Lage auch einen gewissen Nutzen, etwa den, daß viele Händler durchzogen, um den Türken auszuweichen. Dagegen waren das westliche Transdanubien sowie Kroatien brachliegendes Grenzland, Aufmarschgebiet und Schauplatz unaufhörlicher Kämpfe. Hinzu kam, daß Wien – zur nicht geringen Enttäuschung jener, die anstelle der Türken auf die Habsburger setzten – sich in anderweitige Kriege verwickelte und, um den Rücken frei zu bekommen, immer wieder zu beschämenden Friedensschlüssen mit dem Sultan bereit war. Doch der Frieden erwies sich stets als brüchig und widersprach obendrein den Interessen des ungarischen und kroatischen Hochadels. Außerdem zahlte die Wiener Heeresführung der Besatzung der ungarischen Grenzfestungen einen besonders kargen Sold. Häufig entsandte Wien unzuverlässige, beutegierige Söldner nach Ungarn, die schlimmer waren als die türkischen Besatzer.

Wir haben von mehrfacher Zerrissenheit gesprochen. Hier noch ein prägnantes Beispiel dafür, nämlich der Fall zweier ungarischer Adliger, eines gewissen Maylád und eines gewissen Nádasdy. „Maylád selbst stand auf der Seite von König Ferdinand, doch in Siebenbürgen, wo seine Besitzungen lagen, war die Partei der Habsburger zurückgedrängt worden, so daß allen klar wurde, daß die Herrschaft Ferdinands dort keine Wurzeln schlagen könne. Deshalb versuchte Maylád, um seine Besitzungen zu retten, auf die Seite Zápolyas überzuwechseln. Anders lagen die Dinge bei Nádasdy, der im Augenblick ein Anhänger Zápolyas war. Er wollte heiraten, aber die Latifundien seiner Auserwählten, der steinreichen Orsolya Kanizsai, lagen in Westungarn, also in dem Landesteil, der Ferdinand gehörte. Seine Interessen verlangten, daß er in das Lager der Habsburger zurückkehre. Also einigten sie sich denn in Bistritz, daß Maylád Nádasdy helfen sollte, auf die Seite Ferdinands überzugehen, während Nádasdy den Wechsel Mayláds zu Zápolya in die Wege leiten wollte . . .“ Das war nun mal der Gang der Dinge.

Da wir die Zeitfolge unterbrochen haben und zum 16. Jahrhundert zurückgekehrt sind, sei noch vermerkt, daß eine der tragischsten Episoden der ungarischen Geschichte mit dem Jahr 1566 verbunden ist. Ihr Held stammt aus der kroatisch-ungarischen Familie Zrínyi, die gewaltige, sich von Transdanubien bis zur Adria erstreckende Latifundien besaß. Es war der Feldherr Miklós Zrínyi, der nicht mit seinem Urenkel, dem gleichnamigen Dichter, verwechselt werden sollte, der ebenfalls ein vorzüglicher Soldat war und neben Gedichten auch großartige militärtheoretische Werke schrieb.

Miklós Zrínyi, der Feldherr, hatte sich in der durch Sümpfe geschützten Burg Szigetvár verschanzt. Vom 6. August bis zum 8. September leistete er dem Ansturm der Heere Suleymans des Prächtigen, der bei Mohács gesiegt hatte und nun gegen Wien zog, tapfer Widerstand. Gegen Ende der Belagerung der Burg starb der Sultan im Feldlager, doch die Kommandeure verschwiegen dies dem Heer und ordneten die Erstürmung an. Angeblich wurde der tote Sultan im offenen Zelt auf den Thron gesetzt, um ihn den Kriegern zu zeigen. In der aussichtslos gewordenen Lage sprengte Miklós Zrínyi mit der verbliebenen kleinen Schar aus der Burg – ohne jede Hoffnung, den Belagerungsring zu durchbrechen. Sie fielen bis zum letzten Mann. Doch das geschwächte türkische Heer vermochte nicht bis nach Wien vorzudringen. Eine bedeutende österreichische Streitmacht, die in der Nähe von Raab Gewehr bei Fuß gestanden war, zog wie nach gut verrichteter Sache ab.

Vielleicht verdient gerade dieser Pyrrhussieg, unter vielen Taten im Festungskampf hervorgehoben zu werden. Freilich könnte man die heldenmütige Verteidigung von Erlau im Jahr 1552 erwähnen, als Burghauptmann István Dobó mit 2 000 Mann und den Einwohnern von Stadt und Umgebung das 15 000köpfige Türkenheer vertrieb. Was soll man aber dann zur zweiten Belagerung Erlaus im Jahr 1596 sagen, als die Türken einen leichten Sieg davontrugen?

Die Verteidigung Erlaus, die Heldentat von Szigetvár und ähnliche vielbewunderte Leistungen ließen im Bewußtsein der Ungarn die Überzeugung reifen, daß die Türken durch die hartnäckigen, opferreichen Festungskämpfe daran gehindert wurden, ihr Reich über Wien und das Wiener Becken hinaus weiter nach Mitteleuropa auszudehnen. Doch sehen wir uns auch die zeitlichen Fakten an, sie können von entscheidender Bedeutung sein. Wenn die Türken mit einem schlagkräftigen Heer nach Ungarn ziehen, erreichen sie die Südgrenze – die Linie der Drau und die Stadt Esseg (das antike Mursa, wo schon die Römer eine Brücke bauten) meist erst Ende Juli, Anfang August. Zum Kriegführen bleiben dann kaum zwei Monate Zeit. Danach müssen sie – ob sie wollen oder nicht, ob als Sieger oder Verlierer – den Rückweg in die Heimat antreten. Das heißt, Ungarn und vor allem das Wiener Becken lagen unter den logistischen Verhältnissen jener Zeit nur knapp innerhalb des Aktionsradius des türkischen Hauptheeres. Tatsächlich gelang es ihm nur ein einziges Mal, bis Mitte Juli nach Wien vorzustoßen.

Hei Thököly, hei Rákóczi!

Nun war Buda schon seit fast 150 Jahren in türkischer Hand. Wie sah es in den achtziger Jahren des 17. Jahrhunderts in anderen Teilen Europas aus? In Großbritannien wurde gegen Jakob II., der zur katholischen Kirche hielt, ein unblutiger Putsch geführt. Der Nachfolger auf dem Thron kam aus den Niederlanden: Wilhelm von Oranien. Frankreich erlebte die Glanzzeit des Sonnenkönigs Ludwigs XIV. Auf der Iberischen Halbinsel war Portugal wieder unabhängig. Das Durcheinander um die spanische Thronfolge mündete bald in einen blutigen Krieg, der ganz Europa erfaßte. Italien und Skandinavien mußten sich mit Statistenrollen begnügen. Die Niederländer waren die jüngsten Nutznießer des Welthandels. Auf deutschem Boden gab es keine Spur einer zentralen Macht. Brandenburg-Preußen nahm eine Vielzahl von Hugenotten auf. Auf russischem Boden schritt der Zarewitsch, der westlich angehauchte, reformfreudige spätere Zar Peter I. der Große, mit jugendlichem Elan auf die Macht zu. Kosaken erreichten in Ostsibirien den Amur, wo sie mit den nach dem Norden expandierenden Chinesen zusammenstießen.

Zu Beginn der achtziger Jahre des 17. Jahrhunderts war Ungarn nicht nur in drei, sondern in vier Teile geteilt. Das vierte Gebiet: das neugegründete Fürstentum des Emmerich Thököly. Bei seinem Zustandekommen spielte mehreres eine Rolle: die eigenartige Machtkonstellation, der komplizierte und wechselvolle Interessenkonflikt Wiens, Istanbuls und Siebenbürgens im

Karpatenbecken sowie eine begabte, als Mann und Soldat gleichermaßen erfolgreiche Persönlichkeit, die – ein Opfer ihres Schicksals – mitunter auf die falsche Seite abgetrieben wurde.

Als es 1683 den Türken ausnahmsweise gelang, bereits Mitte Juli bis Wien vorzustoßen, befanden sich die beiden ungarischen Fürsten Michael Apafi von Siebenbürgen und Thököly von Oberungarn (des letzteren Soldaten bezeichneten sich als Kuruzzen; der Name ist auf Dózsas aufständische Kreuzfahrer zurückzuführen, die ein Kreuz = crux auf der Brust trugen) – sie befanden sich, wie könnte es auch anders sein, im Lager der Türken. Doch zu dieser Zeit war die Herrschaft der Osmanen schon erschüttert. Europa schloß sich zusammen, die unter dem Oberbefehl des polnischen Königs Johann Sobieski vereinten polnischen, bayerischen, sächsischen und österreichischen Streitkräfte machten der Belagerung Wiens ein Ende und verjagten das türkische Heer.

In den darauffolgenden Jahren, die von chaotischen Kämpfen im Karpatenbecken gekennzeichnet waren, gewann die christliche Koalition mehr und mehr die Oberhand. So kam es, daß die Türken, die noch vor drei Jahren Wien belagert hatten, 1686 nicht einmal imstande waren, Buda gegen die durch Freischärler verstärkte reguläre Befreiungsarmee zu verteidigen. In den erbitterten Kämpfen fiel auch der Befehlshaber der Burg, Abdurrahman Pascha. Von den 65 000 Soldaten des triumphierenden Herzogs Karl von Lothringen war jeder vierte ein Ungar.

Als im Jahr 1986 auf einer internationalen Historikertagung in Budapest – aus Anlaß des 300. Jahrestages der erfolgreichen Erstürmung der Burg – die militärischen Ereignisse und deren Hintergrund zur Debatte standen, war man allgemein der Ansicht, daß die christlichen

Heere nicht aus Sympathie für Ungarn, sondern im richtig erkannten gesamteuropäischen Interesse die Kriege geführt hatten, durch die das Osmanische Reich auf den Balkan zurückgedrängt worden war. Von entscheidender Bedeutung war dabei die Rückeroberung Budas. Dadurch wurde es den Ungarn ermöglicht, sich nach anderthalb Jahrhunderten Europa wieder anzuschließen und die Entwicklung erneut in Gang zu setzen.

Wie aber sollte das geschehen? Eine ungarische Streitmacht war zwar im Befreierheer vertreten, aber der größere Teil des Landes blieb weiterhin türkischer Vasall. Die beiden kleinen, in ihrer Existenz bedrohten Nationalfürstentümer waren kraftlose Satelliten des osmanischen Halbmondes. Thökölys Fürstentum wurde bald aufgerieben, und daß Siebenbürgen seine Selbständigkeit formal bewahrte, war kaum von Wert – weder unter dem abnehmenden türkischen Halbmond noch in den Krallen des aufstrebenden habsburgischen Raubvogels, des Doppeladlers.

Obwohl bis zur vollständigen Befreiung noch einige Jahre vergingen, war das Schicksal der türkischen Herrschaft in Ungarn bereits besiegelt. Aber auch über Ungarn wurde entschieden – in Wien. Das von der türkischen Nachhut gesäuberte Land wurde – mit dem Recht des Eroberers – in das Habsburgerreich eingegliedert. Eine zwiespältige Entwicklung. Wien hatte bald seine Pläne parat. Einige Maßnahmen – so die Einschränkung der Adelsrechte und die Erweiterung der Stadtrechte, die Modernisierung der Verwaltung und der Handelskontrolle – bedeuteten einen Fortschritt. Jedoch trug all das den Stempel des Absolutismus.

Von da an vermischten sich für etwa zwei Jahrhunderte die nationalen Unabhängigkeitsbestrebungen Ungarns mit fortschrittsfeindlichen Elementen. Mehrfach begannen Modernisierungen, oder hätten beginnen können, aber da sie die Rechte der Nation beschnitten, stießen sie auf heftigen Widerstand. Unter der „Nation" waren dabei – nach herrschender Rechtsauffassung – lediglich die Privilegierten zu verstehen, also der Adel sowie Gruppen formal Nichtadliger, die einen ähnlichen Rechtsstatus genossen.

Inzwischen holten Regierung und Großgrundbesitzer in die durch die häufigen Feldzüge entvölkerten Gebiete fremde, deutsche, süd- und nordslawische, Siedler. Die vom Staat errichteten Dörfer sind noch heute am symmetrischen Straßennetz zu erkennen, das von Militäringenieuren auf dem Reißbrett entworfen wurde. Auch im Volk setzten starke spontane Wanderbewegungen ein. Vor allem aus den kärglichen Tälern der Karpaten zogen slowakische, ruthenische (karpato-ukrainische) sowie rumänische Waldbewohner und Hirten ins Innere des Karpatenbeckens. Auch ein großer Bevölkerungsteil der wachsenden Städte war fremd: Deutsche, Serben, Tschechen, Mährer und andere. In Pest war in den ersten Jahrzehnten nach der Befreiung von den Türken kaum ein ungarisches Wort zu hören. Später erstarkten und wuchsen die jüdischen Gemeinden, die ein wechselvolles Schicksal hatten und deren verhältnismäßig geringe Mitgliederzahl auch noch schwankte. Die sephardischen Juden waren zwar größtenteils mit den Türken geflohen oder mit ihnen umgekommen (beide waren ja einst gemeinsam im Land eingetroffen), doch aus Mähren, Wien und in zunehmendem Maß aus der Ukraine, dem ukrainisch-polnisch-litauischen Grenzgebiet und aus Galizien zogen askenasische Einwanderer in mehreren Schüben über die Gebirgspässe der Karpaten. Sie wurden dann sowohl Initiatoren als auch Nutznießer der Modernisierung, insbesondere im Handel und im Finanzwesen. Die Modernisierungsbestrebungen, die den Interessen der österreichischen Monarchie untergeordnet waren, den ungarischen Interessen aber nicht immer widersprachen, brachten nicht nur Wien und den engherzigen Adel miteinander in Konflikt, sondern auch die Ungarn mit den Nationalitäten des Karpatenbeckens und den Schichten mit bürgerlicher Entwicklung, die als „fremd" galten.

In Ungarn begann zu jener Zeit die Vorherrschaft des Barocks, das noch heute viele Stadtkerne prägt und dessen Stilmerkmale wir an Schlössern und Herrenhäusern in der Provinz erkennen. Die schon nach der Dreiteilung des Landes kräftig entfaltete Gegenreformation – deren österreichische Verfechter auf ungarischer Seite einen so ambitionierten und gebildeten Helfer fanden wie den während seiner Studentenzeit rekatholisierten, leidenschaftlichen und scharfzüngigen Erzbischof von Gran, Péter Pázmány – bot dem Barock die wichtigsten Anregungen und das stärkste Mäzenatentum. Gleichwohl konnten sich auch die protestantischen Kirchenbauer diesem triumphierenden Stil nicht entziehen. Im Zuge der Restaurierung vieler Stadthäuser und Dorfkirchen zeigt sich heute, daß die Grundmauern oft romanisch oder gotisch sind. (Die Kirchen konnten meist nur innen barock umgestaltet werden.) Und während wir jetzt die romanischen und gotischen Elemente nach und nach entdecken, können wir die gewaltigen Ausmaße der Neu- und Umbauten ermessen, die nach dem Abzug der Türken – sowie im vorigen Jahrhundert – ins Werk gesetzt wurden.

Doch wir sind allzuweit vorausgeeilt und müssen zu den Bewegungen der Kuruzzen an der Wende vom 17. zum 18. Jahrhundert zurückkehren. Emmerich Thököly verlor nach der Rückeroberung Budas sein Fürstentum und wurde zu einer tragischen Figur, zum bedauernswerten Werkzeug, zum Freibeuter auf dem Balkan im türkischen Sold. Seinen Lebensabend verbrachte er dann friedlich im Exil in Kleinasien. In Ungarn wurde indessen Franz, der jüngste Sproß der Familie Rákóczi, zum Gefangenen seines Schicksals.

Zwar sollte er, als fünfter seiner Familie, Fürst von Siebenbürgen werden, aber in seiner Kindheit schien ihm eine andere Laufbahn vorgezeichnet. Sein Vater, Franz I. Rákóczi, erlangte zwar den Fürstentitel, konnte aber die Herrschaft niemals antreten. Er starb in jungen Jahren. Seine Witwe verknüpfte ihr Los mit Emmerich Thököly. Schon als kleines Kind lernte Franz das Kriegslager seines Stiefvaters kennen. Später weilte er bei seiner Mutter Ilona Zrínyi, als sie in der Burg von Munkács drei Jahre lang (1685–1688) der Belagerung durch kaiserliche Truppen widerstand. Schließlich gab sie die Burg auf – ein Blick auf die Jahreszahlen genügt, um zu wissen warum. Die mutige Frau geriet in ein österreichisches Kloster, wo sie von ihrem Mann, Emmerich Thököly, gegen einen gefangenen kaiserlichen General ausgetauscht wurde.

Aus dem Knaben versuchten jesuitische Erzieher einen Mönch zu machen – nicht zuletzt wegen seiner Ländereien von über einer Million Hektar, die der Orden gut hätte brauchen können. Volljährig geworden, entledigte er sich jedoch der österreichisch-jesuitischen Vormundschaft, obwohl er tief gläubig war. Bald nach seiner frühen Heirat kehrte er im Jahr 1694 nach Oberungarn zurück, wo er sogleich zum Hoffnungsträger des ungarischen nationalen Widerstandes wurde. Doch zunächst mied er jede politische Verpflichtung. Im Jahr 1697 forderte man ihn auf, die Führung eines zunächst erfolgreichen Bauernaufstandes in der Tokajer Weingegend zu übernehmen. Er erschrak derart, daß er schnurstracks nach Wien eilte. Und doch: Die schreckliche Lage des von den Türken eben erst befreiten Landes und die brutale Vergeltung für wiederholte Volkserhebungen erschütterten ihn so sehr, daß sich seine Haltung allmählich wandelte.

Den einen Zweig seiner Familie bildeten die Fürsten von Siebenbürgen, der protestantischen Hochburg. Er selbst war jedoch ein Kind der Gegenreformation. (Sein Vater trat zum Katholizismus über.) Sein Urgroßvater mütterlicherseits war der Held von Szigetvár, sein Großonkel der Dichter Miklós Zrínyi. Sein Großvater Péter Zrínyi wurde mit heimtückischen Versprechungen nach Wien gelockt, wo er unter dem Henkersbeil endete. Im Jahr 1701, als die Zeit auch wegen des gerade ausgebrochenen Spanischen Erbfolgekrieges günstig war, streckte Rákóczi seine Fühler nach Paris aus. Nun war er schon bereit, die Führung zu übernehmen. Das stets mißtrauische Wien bekam ihn triumphierend in seine Krallen. Er wurde verschleppt, ihm drohte das Todesurteil, und nur durch einen abenteuerlichen Handstreich gelang ihm die Flucht. Sein Befreier mußte dafür mit dem Leben bezahlen. In Polen bereitete Rákóczi mit einem Söldnerheer die Rückkehr in die Heimat vor, da kamen ihm die Anführer eines neu entflammten Volksaufstandes entgegen. Alsbald stand das Land von Osten bis Westen in Flammen. Die leichte Reiterei der Kuruzzen-Hauptleute, nun schon unter Rákóczis Fahne, drang, seinem Ruf folgend, bis nach Wien vor. Dabei fiel sie immer wieder über versprengte kaiserliche Scharen her. (Diese wurden „Labanzen" genannt; vielleicht geht die Bezeichnung auf das Wort Landsknecht zurück.)

Franz II. Rákóczi ist eine der integersten und überaus weitblickenden Gestalten der ungarischen Geschichte. War er tatsächlich ein Gefangener seines Schicksals? Nein, keineswegs. Ein verwöhnter aristokratischer Sprößling, eifriger Christ, belesen, ein vielseitig interessierter „Intellektueller" (oder, falls diese Bezeichnung

121

anachronistisch sein sollte, ein Vorläufer dieses Typs). Ein ausgezeichneter Organisator. Allerdings war für ihn bezeichnend, daß er noch auf dem Höhepunkt der Unabhängigkeitsbewegung nur ein bis zwei Tage der Woche den Staatsgeschäften widmete. Die anderen Tage verbrachte er mit frommer Andacht, mit der Vermehrung seiner Bildung, mit der Jagd oder – unter dem Vorwand der Jagd – mit seiner Geliebten. Zu seiner Entschuldigung sei gesagt, daß sich seine Frau und seine beiden Söhne als Geiseln in österreichischer Hand befanden und er nicht in der Lage war, sie zu befreien.

Rákóczi, der angesichts der anfänglichen Erfolge der Kuruzzenbewegung erst von den siebenbürgischen, dann von den ungarischen Ständen zum regierenden Fürsten gewählt wurde, schildert mit verblüffender Klarheit die zeitgenössische ungarische Gesellschaft. In seinen auch an christlichen Meditationen reichen Schriften gibt er eine tiefschürfende und scharfsichtige Analyse der gesellschaftlichen Situation und der Rückständigkeit, die seinen Kampf behinderte. Durch Zusammenlegung der Einkünfte aus den staatlichen und den eigenen Besitzungen erreichte er eine effiziente Kriegswirtschaft. Er schuf ein Geldsystem, das auch mit geringer Deckung funktionierte – allerdings nur, solange die Schlachten siegreich ausgingen.

Hier muß erwähnt werden, daß sich die Einnahmen aus dem ungarischen Bergbau verringerten. Der Edelmetallmarkt wandelte sich durch die Unmengen von Gold und Silber, die aus Übersee nach Europa flossen, außerdem waren die reichsten, höhergelegenen Vorkommen in Oberungarn erschöpft. Immer tiefer mußte nach den Schätzen geschürft werden. Dieser Nachteil ließ sich auch durch die Entwicklung der Bergbautechnik nicht ausgleichen, wie sie sich zum Beispiel in

Schemnitz zeigt, wo im Jahr 1721 die erste Bergbauakademie der Welt gegründet wurde.

Die neue „Goldwährung" der Rákóczi-Ära war der Tokajer Wein, der zur Zeit der türkischen Herrschaft Ruhm erlangte – insbesondere durch die Verbreitung des Aszu (eines besonderen Ausbruchs). Doch der „König der Weine und Wein der Könige" – diese schmeichelhafte Bezeichnung soll Rákóczis Verbündeter, Ludwig XIV., dem Tokajer gegeben haben – stand erst am Anfang seiner Karriere. Der Fürst selbst verwendete den in seinen Weingärten gewonnenen Tokajer in erster Linie als Geschenk. Er gab ihn seinen Diplomaten mit auf den Weg, um die Verhandlungspartner geneigt zu machen. Damit legte er die Grundlage für künftige Exporterfolge. Der Zarenhof und die reichen russischen Bojaren erweiterten bald den Kreis traditioneller Kunden wie der Polen und der baltischen Barone. Rákóczi jedoch brachte der Tokajer nur vorübergehend Nutzen, und nur moralischen.

Mit zwei Schwierigkeiten wurde er nicht fertig. Er baute zwar gute Beziehungen zu den Gegenpolen Europas auf – sowohl zu Ludwig XIV. als auch zum Zaren. Doch als sich die internationale Lage änderte, waren weder die Russen noch die Franzosen daran interessiert, daß ein kleines ungarisches Fürstentum Wien „ärgerte". Zum anderen bildeten die wahre Kraft des Kuruzzenheeres die aufständischen Armen, das barfüßige, mit Sensen und Äxten bewaffnete Fußvolk, die Heiduken und die leibeigenen Soldaten, die für ihre Befreiung kämpften. Rákóczi hatte das erkannt und versuchte dieser Erkenntnis Geltung zu verschaffen. Doch war er auch auf die Magnaten und die Adligen angewiesen – die aber ließen sich von anderen Interessen leiten. Die Zeiten waren noch weit, da das armselige Volk das entscheidende Wort zu sagen haben sollte.

Zwischen 1703 und 1711 nahmen die Kämpfe einen wechselvollen Verlauf. Zum Teil standen einander Ungarn feindselig gegenüber: Unter den Labanzen gab es nicht wenige Ungarn, die zu Wien hielten oder zwangsweise in dessen Diensten standen. In den letzten Jahren wurden die Kuruzzen gejagt und gehetzt, sie waren stets auf der Flucht. Ihre Reihen wurden durch Verrat und Epidemien geschwächt. Und auf den Adelsgütern fehlten die Hände der Leibeigenen.

Rákóczi war gezwungen, ins Exil zu gehen. Er schlug die Amnestie und ein deutsches Fürstentum, die man ihm anbot, aus und begab sich nach Polen, wo er mit Zar Peter dem Großen zusammentraf. Später war er in Frankreich ein gern gesehener, exotisch-romantischer Gast am Hof des Sonnenkönigs oder lebte in klösterlicher Einsamkeit wie ein Mönch.

Die Friedensverhandlungen, die mit der Kapitulation des Kuruzzenheeres endeten, wurden von seinem Oberbefehlshaber, Baron Sándor Károlyi, geführt, den der Kaiser dann mit gewaltigen Ländereien – aus Rákóczis Besitz – und dem Grafenrang belohnte. Allein deshalb hielt die ungarische Öffentlichkeit Károlyi nahezu über drei Jahrhunderte eindeutig für einen Verräter, sein Name war mit Fluch beladen. Doch laut neuesten Forschungsergebnissen und historischen Erkenntnissen hatte Károlyi – und zwar mit Rákóczis Wissen – eine optimale Vereinbarung erreicht: Was die Aufständischen auf dem Schlachtfeld nicht erkämpfen konnten, das wurde ihnen durch den Friedensvertrag zum großen Teil zugesichert. Dies bedeutete immerhin, daß Ungarn und Siebenbürgen jenen Rechtsstatus wiedererhielten, der ihnen nach 1686 aufgrund des Kriegsrechts entzogen worden war. Das Streben nach nationaler Selbständigkeit erwies sich erneut und nicht zum letztenmal als illusorisch. Doch neben der im Grund uneingeschränkten moralischen und materiellen Amnestie wurde auch die Religionsfreiheit in Ungarn wiederhergestellt, die Privilegien der Heiducken blieben erhalten; und obwohl natürlich in erster Linie der Adel der Nutznießer des Friedens von Sathmar war – und somit seine Privilegien weitgehend konservierte –, war dieser Frieden dennoch, auf paradoxe Weise, erneut ein Akt, der unter den gegebenen historischen Bedingungen die Zugehörigkeit des Landes zu Europa förderte, wenngleich es aus seiner Randlage nicht herauskam.

Im Jahr 1717 begab sich Rákóczi in die Türkei, wo er die Hilfe des Sultans erhoffte. Aber die internationale Lage entwickelte sich auch jetzt nicht zu seinen Gunsten. Zu seinem Domizil wurde die Kleinstadt Rodosto am Ufer des Marmarameeres bestimmt. Dort lebte er bis zu seinem Tod, zusammen mit einigen noch verbliebenen Anhängern, vom geringen Gnadengehalt des Sultans. Einer seiner Söhne zog für einige Jahre zu ihm, seine Frau besuchte ihn einmal, allerdings nur für kurze Zeit, da sie einander längst entfremdet waren. Er befaßte sich mit theologischen Studien, schrieb Abhandlungen, ging auf die Jagd und tischlerte zum Zeitvertreib.

Seine Gebeine ließ der ungarische Staat zusammen mit denen seiner Mutter im Jahr 1906 heimführen und in Kaschau feierlich beisetzen. Zur gleichen Zeit fanden die Gebeine Thökölys in Käsmark ihre letzte Ruhestätte. Rákóczis Haus in Rodosto – heute Museum – wie auch seine Grabstätte in Kaschau sind Wallfahrtsorte der Ungarn, die ihn bis heute verehren.

Maria mit der Krone
und Joseph mit dem Hut

Bella gerant alii; tu felix Austria, nube!
Namquae Mars aliis, dat tibi regna Venus.
(Mögen andere Kriege führen: Du, glückliches Österreich, heirate! Den anderen beschert Mars, dir die Venus die Länder.)
Wer auch immer dieses bissige, von Neid nicht ganz
freie lateinische Epigramm verfaßt hat, fest steht, daß
die Habsburger, die auf mehreren europäischen Thro-
nen saßen bzw. mit ihnen in enger Verbindung standen,
ihren dynastischen Beziehungen und geschickt eingefä-
delten Eheschließungen viel zu verdanken hatten.
Anfang des 18. Jahrhunderts saß Karl von Habsburg
auf dem unsicheren spanischen Thron. Als 1711 sein
Bruder Joseph I. starb, wurde er dringend nach Wien
beordert. Diese Eile trug dazu bei, daß die Bedingungen des Friedens mit den Kuruzzen milde ausfielen. Mit
Karl, dem III. als ungarischer König und dem VI. als römisch-deutscher Kaiser, starb das Haus Habsburg im
Mannesstamm aus. Das bereitete Karl an seinem Lebensabend die meisten Sorgen. Er bemühte sich, bei
den rivalisierenden, thronhungrigen Dynastien sowie
bei allen sonstigen Thronprätendenten für seine Familie
die weibliche Thronfolge durchzusetzen. Scheinbar mit
Erfolg. Was den Habsburgern im ehelichen Leben nicht
mehr glückte, das erwirkte Karl mit Vereinbarungen
und juristischen Formeln. Jedenfalls war er dieses Glaubens, als er 1740 seine Augen für immer schloß.
Seine Tochter Maria Theresia, eine blühende junge
Frau von 23 Jahren, war gerade schwanger. Entgegen

allen Vereinbarungen und Versprechungen lehnten nach dem Tod Karls nahezu alle europäischen Herrscher die weibliche Erbfolge in den habsburgischen Erblanden ab. Sogleich wurden Angriffe gestartet, um das Reich der Habsburger zu zerstückeln. Als endgültig fest stand, daß die friedlichen Kompromisse nichtig waren, hatte Maria Theresia ihrem ersten Sohn das Leben geschenkt. Im Jahr 1741 erschien auch dieser kaum halbjährige Säugling vor dem versammelten Landtag in Preßburg, nachdem die Königin die ungarischen Stände um den Schutz ihres Thrones gebeten hatte. Unter den Deputierten gab es nicht wenige, die in ihren jungen Jahren an der Seite Thökölys und Rákóczis gekämpft hatten.

Die grandiose, theatralische Szene Maria Theresias mit ihrem Sohn Joseph wurde früher häufig als Beispiel für den Edelmut der galanten Ungarn, für ihre ritterlichen Tugenden zitiert. Das Geschehen in Preßburg mag wohl auch emotionelle Motive gehabt haben, der Kern der Sache liegt jedoch anderswo. Indem die Stände auf dem Landtag von 1741 mit der Akklamation „Vitam et sanguinem" (Leben und Blut) für die Rettung des Habsburger Königtums, dem sie noch kurz zuvor feindselig gegenübergestanden waren, als sie also für seine militärische und materielle Unterstützung stimmten, bestätigte der ungarische Adel die Realisierung der Friedensvereinbarung von 1711. Die Grundbesitzer fühlten sich durch diesen Friedensschluß in ihren Gütern und Rechten nicht geschmälert, sondern eher gestärkt. Der Wiener Hof war seit dem Vertrag bemüht, nicht mehr gegen sie, sondern mit ihnen zu regieren.

Eine verhältnismäßig friedliche Zeit, eine Zeit gesicherten Rechts begann. Der Schwung des Wiederaufbaus, der Bedarf an Arbeitskräften, die Entwicklung von Handel und Wirtschaft verschafften der Generation nach der Kuruzzen-Ära, zumindest dem Großteil der Bevölkerung, mehr oder weniger Erleichterung. (Allerdings blieben die harten Auflagen für die entrechteten Schichten, vor allem für die Leibeigenen weiter bestehen, ja sie verschärften sich sogar, da das ungarische Recht die Leibeigenschaft für alle Zeiten deklarierte.) Angesichts der insgesamt günstigen Entwicklung lohnte es, sich dankbar zu verhalten. Und Maria Theresia äußerte nicht nur Wünsche, sie bot auch eine Gegenleistung: mehr inneren Spielraum im Zeichen der ungarischen Unabhängigkeit. Ihre Gesten zur Gewinnung der Ungarn hatten teils realen Wert, teils Prestigecharakter. Immerhin war es von praktischer Bedeutung, daß Siebenbürgen und andere Randgebiete nicht mehr unmittelbar von Wien aus regiert wurden, sondern mittelbar, da sie nunmehr der Oberhoheit der ungarischen Krone unterstellt waren.

Im jahrelangen Österreichischen Erbfolgekrieg – der zu einer Neuordnung, aber insgesamt zu keiner Schwächung des Habsburgerreiches führte – wurden etliche Schlachten durch die ungarischen (und kroatischen) Husaren- und Infanterieregimenter entschieden. (Mitunter mußten die Ungarn auch gegen eigene Landsleute kämpfen, denn nach der Kuruzzenzeit waren viele in den Sold anderer europäischer Herrscher getreten, um Ruhm zu erlangen.)

So behielt denn Maria Theresia die ungarische und die böhmische Krone und noch viele andere Titel und Besitzungen. Doch zu Hause in Wien war sie nur Erzherzogin von Österreich. Die Krone des römisch-deutschen Kaisers wollten die Kurfürsten und Stände nicht einer Frau überlassen. Das hatte auch Karl VI. nie zu erreichen versucht. Die Lage war ungewöhnlich. Maria Theresia erhob demonstrativ ihren Ehemann Franz Stephan von Lothringen – den Vater ihrer von Jahr zu

Jahr wachsenden Kinderschar – zum Mitregenten. Er hatte 1735 sein väterliches Herzogtum Lothringen verloren und zwei Jahre später als Ersatz das Großherzogtum Toskana erhalten. Dennoch wurde er im Jahr 1745 als Franz I. römisch-deutscher Kaiser. In der Wiener Hofburg jedoch herrschte in Wirklichkeit seine immer mehr Energie entfaltende – übrigens gemütliche, familiäre und warmherzige – Frau, und zwar auf absolutistische Weise. Allerdings traf sie ihre Entscheidungen nach Anhörung einiger hervorragender aufgeklärter Ratgeber. Jeder Zoll eine Herrscherin.

Sie agierte allerdings zwiespältig. Zwar war sie im Prinzip eine Gegnerin der mehr und mehr aufkommenden Ideen der Aufklärung, aber in manchem verhalf sie ihnen zur praktischen Verwirklichung. Während früher die Dynastien, insbesondere die Habsburger, beharrlich daran festgehalten hatten, Herrscher von Gottes Gnaden zu sein und die Untertanen für lebendige Objekte zu halten, deren einziges Schicksal es war, ihrem Herrscher zu dienen, zeigte schon der Vater Karl VI. ein gewisses Verantwortungsbewußtsein, bekannte sich Maria Theresia zur gegenseitigen Bindung und Verpflichtung. Sie meinte, daß sie für das Wohl der Völker, die Gott zu Untertanen ihrer Krone bestimmt hatte, für ihr leibliches und seelisches Heil verantwortlich war.

Die Ungarn behandelte sie, aus Dankbarkeit und aus Berechnung, geradezu mit Auszeichnung. Sie baute für sie Schulen und erließ Schulgesetze. Sie beorderte eine ungarische Leibgarde nach Wien, deren Mitglieder – lauter junge Adlige – nicht nur in farbenprächtigen Uniformen, mit einem Überwurf aus Pantherfell, ihren Dienst versahen, sondern sich auch bilden konnten. Es ist eine Ironie des Schicksals, daß so mancher Leibgardist der im Prinzip aufklärungsfeindlichen Königin von den Ideen der französischen Aufklärung erfüllt war, als er von seinem Dienst nach Ungarn heimkehrte. Die Leibgardisten-Schriftsteller des 18. Jahrhunderts bilden ein eigenes kleines Kapitel der ungarischen Literaturgeschichte.

Die Rechte des Adels wurden im Lauf der Zeit von Maria Theresia so festgelegt, daß die Leibeigenen ihren Herren nicht mehr ganz so ausgeliefert waren. Ein Novum war, daß sie Rechtsmittel ergreifen konnten. Die Normierung der Frondienste wirkte zwar zuweilen der guten Absicht entgegen, da es Gutsherren gab, die früher weniger verlangt hatten, als das neue Gesetz zuließ, dennoch war auch dies ein Schritt zur Einschränkung der Adelswillkür. Zweifelsohne wurden die böhmischen und die österreichischen Länder bei der Entfaltung der Gewerbe bevorzugt behandelt, während Ungarn am „gemeinsamen Markt" des Habsburgerreiches, eines nunmehr größtenteils mitteleuropäischen Gebildes, als Rohstofflieferant teilnehmen mußte.

Neben der traditionellen Ausfuhr von Lebendvieh, von tierischen Produkten – insbesondere Wolle – sowie von Wein gewann allmählich der Getreideexport an Bedeutung. Er wurde fast ausschließlich auf dem Wasserweg abgewickelt. Sein Zuwachs lag darin begründet, daß westlich von Ungarn bereits die intensivere Landwirtschaft an Boden gewann und im Karpatenbecken ein Brotgetreide von hervorragender Qualität mit hohem Backwert gedieh. Die Brotqualität wurde schon allein verbessert, wenn man den ungarischen Hartweizen – „Verbesserungsweizen" – dem anderswo geernteten weichen Getreide beimischte. (Die Vorzüge des ungarischen Getreides – man spricht vom „Stahlweizen" – waren vor allem sortenbedingt. Aber die Qualität hängt auch vom Zeitpunkt und von den Umständen der Ernte ab. In der Ungarischen Tiefebene fiel die Ernte im allgemeinen in eine Dürreperiode. Erst nachdem das Getreide vollständig gereift war, begann die Mahd. Danach wurde es in Schobern aufgerichtet, um noch wochenlang, bis zum Dreschen, weiter zu trocknen.)

In Religionsfragen war Maria Theresia am wenigsten einsichtig. Aber ihr praktischer Sinn ließ auch hier keine Extreme zu. Ihre Verordnungen zur Einschränkung der Rechte der Juden zog sie zum Teil zurück. (Doch aus dieser Zeit stammen die charakteristisch deutschen Familiennamen der ungarischen Juden, die zur Annahme dieser Namen gezwungen wurden.) Die Protestanten – wenn sie sich schon nicht bekehren ließen – wurden aus den verschiedenen Reichsgegenden nach Siebenbürgen zu lenken versucht. So blieb denn dort die traditionelle freie Religionsausübung bestehen, die sogar „extreme" Formen annahm: Der in Siebenbürgen ansässigen Gruppe der Unitarier gelang es nahezu, Gott aus ihrer Religion zu verdrängen; und von den Sabbatisten, die jahrhundertelang den Vorschriften der jüdischen Religion folgten, aber dennoch Ungarn waren, fielen später viele den Judenverfolgungen zum Opfer.

Nachdem sich ihr Thron gefestigt hatte, sah sich Maria Theresia durch die Macht der Umstände zur Schaffung eines Donaureiches gedrängt. Die Besitzungen der Dynastie konzentrierten sich immer mehr in diesem Raum. Einen natürlichen Verbündeten hatte sie bei ihren Vorhaben in den ungarischen Magnaten, die in den Stürmen der Jahrhunderte viel von ihrem gewaltigen Besitz bewahrt, ihn teilweise sogar vermehrt hatten. Jetzt aber, der Last der Türkenkriege entledigt, offenbarte sich ihr Reichtum im Bau von Schlössern, die mit Versailles und Schönbrunn wetteiferten, und in der Anhäufung von Kunstschätzen. Diese oberste Adelsschicht verschmolz mehr und mehr mit der Aristokratie Europas, die über nationale Grenzen hinweg durch viele familiäre Bande verflochten war und kosmopolitische Züge annahm. Es war schon ein Grund zur Freude, wenn der eine oder andere wenigstens einen Teil seiner inländischen Einkünfte zu Hause ausgab oder ausländische Anschaffungen nach Hause brachte.

Letzteres läßt sich von den Esterházy sagen. Ihre schon damals umfangreiche Sammlung von Gemälden und anderen Kunstschätzen sollte später den Grundstock für das Museum der Bildenden Künste in Budapest bilden. Es gereicht der Familie Esterházy auch zur Ehre, daß Joseph Haydn länger als drei Jahrzehnte in ihrem Dienst stand. In dieser Zeit schuf er den Großteil seiner Werke und brachte sie zur Aufführung. Weniger lobenswert ist jener ungarische Aristokrat, der sich für einen Wiener Ball, auf dem das teuerste Kostüm preisgekrönt werden sollte, ein Gemälde von Correggio auf den Leib schneidern ließ. Doch erzählt man sich auch die Legende, daß einer der Esterházy, als er Maria Theresia zu einer Schlittenfahrt einlud, den Weg von Schönbrunn bis Eisenstadt, also eine Strecke von gut 40 Kilometern, mit Salz bestreuen ließ, weil unerwartet Tauwetter eingesetzt hatte.

Zwei Episoden sollen zeigen, was auf den Tod Maria Theresias folgte. Der Säugling, der mit seiner Mutter im Jahr 1741 in Preßburg erschienen war, bestieg als Joseph II. (1780–1790) den Thron. Aber bestieg er ihn auch in Ungarn? Seit dem Tod seines Vaters 1765 war er römisch-deutscher Kaiser. Diese Würde hatte zu jener Zeit allerdings schon an Bedeutung verloren. Josephs Einfluß setzte sich dennoch nach und nach im ganzen Reich durch. Dieser seltsame Habsburger war auf eine merkwürdige Art König von Ungarn. Seine Ideen, nach ihm Josephinismus benannt, bildeten eine aufgeklärte, aber dennoch extreme Variante des Absolutismus. Er führte einen starken Zentralismus ein und regierte durch Verordnungen; im Zeichen eines einheitlichen und effizienten Reiches zerstörte er jeden Regionalismus, alle Standesprivilegien. Er hob zahlreiche Klöster auf, deren Vermögen für andere kirchliche Zwecke verwendet wurde.

Die Kraft des adligen Konservatismus in Ungarn erkennend, lehnte er es brüsk ab, sich in Ungarn krönen zu lassen. Er ließ die Krone nach Wien bringen und sicher verwahren. Deshalb nennen ihn die Ungarn den „König mit dem Hut". Die Beurteilung dieses eigensinnigen und zugleich hamletischen Herrschers erregt bis heute die Gemüter. Man kann unmöglich die Großzügigkeit seiner Modernisierungsbestrebungen leugnen, die der Zeit voraus waren. Aber er tat alles mit knirschender Gefühllosigkeit. Er hielt sich für derart klug und allen anderen überlegen, daß er keine Kontrolle duldete, keine Ratschläge anhörte. All seinen noch so wohlgemeinten Bestrebungen fügten die Versuche, außerhalb der österreichischen Erblande Deutsch als Amts- und Unterrichtssprache einzuführen, schweren Schaden zu.

Da seine Außenpolitik und der Krieg gegen die Türken erfolglos blieben, widerrief Joseph II. auf dem Totenbett die meisten seiner Reformen, ausgenommen das konfessionelle Toleranzpatent sowie die Verordnung, die die Lage der Leibeigenen erleichterte. Sah er sein Lebenswerk als gescheitert an? Entsprang sein Handeln einem hamletischen inneren Widerstreit? Oder befürchtete er, sein Nachfolger würde alles zunichte machen, was er geschaffen hatte? Und versuchte er so zu retten, was zu retten war?

Hängt die Fürsten auf!

Oder laßt ihre Köpfe rollen wie die Franzosen? Belgien riß sich von Habsburg los, und auch Ungarn drohte, wiewohl der sterbende Herrscher die meisten seiner Verordnungen zurückgenommen hatte, dasselbe zu tun. Der Bruder Josephs II., Leopold II. (1790–1792), beeilte sich deshalb mitzuteilen, daß er nicht den Weg seines Vorgängers, sondern den der Mutter fortzusetzen gedachte. Über die Details seiner Herrschaft, über die Modalitäten der Machtteilung begann zwischen ihm und den Ständen eine langwierige Diskussion.

Einen Teil dieser Auseinandersetzung bildete die ungarische Jakobinerbewegung, die tragisch endete. Anführer der Gruppe, die sich ganz der französischen Aufklärung verschworen hatte, die Massen aber nicht zu erreichen vermochte, war der Franziskanermönch Ignác Martinovics. Der überaus begabte Polyhistor und materialistische Philosoph entpuppte sich jedoch als Agent provocateur, als Geheimagent Wiens. Was wollte der Hof mit Hilfe Martinovics' erreichen? Daß die von ihm organisierte Gruppe – die sich aus den nach bürgerlicher Freiheit strebenden Mittelschichten rekrutierte – durch ihre bloße Existenz Druck auf die konservative Aristokratie ausübte und dem gefährlicheren, weil unkontrollierbaren Radikalismus den Wind aus den Segeln nahm. Mehr noch: Man wollte, daß sich die Revolutionäre, die aufrührerischen Elemente zu erkennen gaben. Und was wollte Martinovics? Zwar war er ungemein ehrgeizig und ließ sich gern auf ein doppeltes oder gar dreifaches Spiel ein, doch kann man diesem Kopf und Kragen riskie-

renden Hasardeur nicht abstreiten, daß er auf seine lin-
kische machiavellistische Art Gutes wollte. Das eine
Mal wiegte er sich in der Illusion, den Herrscher zu Re-
formschritten bewegen zu können, das andere Mal re-
dete er sich ein, daß sein Denunzieren lediglich Taktik
wäre und er am Ende die Oberhand behalten würde.
Doch in seiner inneren Zerrissenheit erkannte er nicht
einmal die Fäden, die er selbst gesponnen hatte. Noch
weniger war er imstande, sich zurückzuziehen, als seine
Sache hoffnungslos geworden war. Inzwischen erfolgte
ein weiterer Thronwechsel: Der Sohn Leopolds II.,
Franz I. (1792–1835), vertrat ausgesprochen reaktionäre
Ansichten. Der Zwiespältigkeit, die sich um die Bewegung der ungarischen Jakobiner rankte, machte er ein
jähes Ende. Er stellte sie unter Anklage und ließ die Anführer – allen voran Martinovics – enthaupten. Unter
den zu schwerem Kerker Verurteilten befanden sich
auch vier ungarische Schriftsteller, die Besten der ungarischen Aufklärung.

Den Krieg gegen das revolutionäre Frankreich, den
Leopold II. gerade erst begonnen hatte, führte nun
Franz I. intensiv fort. Wir können hier nicht erörtern,
wie dieser Kampf, in dem auch viel ungarisches Blut
floß, in den gesamteuropäischen Konflikt mit Napoleon
mündete. Vielleicht genügt der Hinweis, daß die in Paris 1793 enthauptete französische Königin Marie Antoi-
nette eine Tochter Maria Theresias war. Sie wurde von
der Mutter in ergreifend naiven Briefen vor ihrer lie-
derlichen Lebensweise gewarnt, die zweifellos zum
Ausbruch des französischen Volkszorns beitrug. Etwa
16 Jahre später, im Jahr 1810, sah sich der geschlagene
und gedemütigte Franz I. gezwungen, seine Tochter
Maria Luise, eine Großnichte Marie Antoinettes,
Napoleon zur Frau zu geben – jenem Napoleon, der gerade seine erste Ehe auf geschmacklose Weise gelöst

136

hatte. Doch Franz mußte die Einwilligung geben, um zu retten, was noch zu retten war. (Du, glückliches Österreich, heirate . . . ?) Daß Napoleon schon seit 1804 Kaiser war, der eine Dynastie zu gründen suchte und die Errungenschaften der Französischen Revolution zum größten Teil abgeschafft hatte – das war für die hochmütigen Habsburger nur ein schwacher Trost.

Richteten die Ungarn indessen ihr wachsames Auge, wie ihnen der jakobinische Dichter János Batsányi empfahl, nach Paris? Möglich. Aber wir wissen nicht genau, was sie dort wahrnahmen. Die Französische Revolution mit ihren stürmischen Wendungen erweckte zwar ihr Interesse, ja sogar ihre Begeisterung, doch ihre eigentliche Wirkung sollte sie erst nach einem halben Jahrhundert ausüben. Der Adel schrak vor den Veränderungen in Frankreich zurück. Erst Kaiser Napoleon mit seinen eindrucksvollen Eroberungen wirkte für die Ungarn wieder anziehend. Dennoch hegten nur wenige die Hoffnung, daß mit Napoleons Hilfe die nationalen Interessen Ungarns durchzusetzen wären. Dazu war der Korse allzu gierig und sein Glück allzu wechselhaft. Dies zeigte sich auch, als er 1809 – zu jener Zeit schon eine leibhaftige Legende – mit seinen Truppen ungarischen Boden betrat und die Ungarn in einem (von Batsányi verfaßten) Aufruf aufforderte, sich von Wien loszureißen. Die Proklamation traf auf taube Ohren.

Darüber hinaus ist das Jahr 1809 auch ein bedeutsames Jahr für die Militärgeschichte und die gesellschaftliche Entwicklung Ungarns. Zum letzten Mal wurde das Adelsaufgebot einberufen. Aber das ungarische Adelsheer, das sich mit einem etwa gleichstarken österreichischen vereinigte, wurde bei Raab trotz leichter Überzahl von den Franzosen vernichtend geschlagen.

Die demütigende Niederlage diente später den progressiven Kräften Ungarns als wichtiges Argument für

die Modernisierung des Landes. Sie entlarvte die Rechtsordnung, die die Privilegien des Adels damit begründete, daß er – im Fall eines Überfalls – die Heimat mit
dem Schwert verteidigt, als überholt. Die Nation kün-
digte nun diesen schon vor langer Zeit geschlossenen
und unklar definierten Gesellschaftsvertrag. Sie verzichtete auf den „Schutz" durch einen Adel, der rück-
ständig geworden war, seine soldatischen Tugenden
eingebüßt hatte, mit verrostetem Säbel und verstaubter
Seele kämpfte und vom Korsen bei Raab so schmach-
voll verprügelt worden war.

Dieses Urteil ist aus historischer Sicht unbedingt be-
rechtigt. Doch muß man auch bedenken, daß es einfältig
war, von 20 000 Insurgenten – auf ländlichen Gütern
hastig zusammengetrommelt – und von ebenso vielen,
zwar regulären, aber demoralisierten österreichischen
Soldaten zu erwarten, daß gerade sie jenen Bonaparte
aufhalten und ihm den Garaus machen würden, der mit
seinen triumphierenden Veteranen schon so oft Europa
niedergewalzt hatte. Keineswegs mangelte es den meisten ungarischen Adligen an persönlichem Mut. Sie taten, was sie konnten: Sie kämpften, bluteten, fielen
oder flohen. Nicht diese Niederlage kann man ihnen an-
lasten, sondern vielmehr, daß sie nicht schon früher ge-
merkt hatten, daß die Zeit über sie hinweggeschritten
war. (Freilich bin ich ein wenig voreingenommen. Einer
meiner Urgroßväter und dessen Bruder, Kleinadlige
aus dem Komitat Zala, waren dabei. In der ominösen
Schlacht bei Raab retteten sie ihrem Anführer und einander das Leben und taten sich auch sonst hervor . . .)

Im übrigen zogen der ungarische Adel und das Land
einen beträchtlichen Nutzen aus den Napoleonischen
Kriegen: Die Preise für Agrarprodukte stiegen, die
Nachfrage wuchs. Neben Getreide waren Wolle und Ta-
bak die wichtigsten Exportartikel. In politischer Hin-

sicht lastete aber auch auf Ungarn die konservative Restauration, die die vom Zaren initiierte Heilige Allianz Europa aufzwang, immer schwerer. Auf wirtschaftlichem Gebiet führten die Deckung der Kriegsausgaben und -schulden durch Papiergeld, die Inflation und mehrfache Abwertung dieses Geldes zur erneuten Konfrontation zwischen dem zum Absolutismus zurückgekehrten Herrscher und den Ungarn.

Das Streben nach nationalem Aufbruch erhielt eine neue Richtung. Schriftsteller – darunter Jakobiner, die im Gefängnis gesessen waren – führten eine Strömung der ungarischen Aufklärung an, die die ungarische Sprache entdeckte. In Ungarn war die traditionelle zweite Muttersprache des Adels das Latein. Horaz war ein vielzitierter Hausdichter, in den meisten Adelskurien auf dem Land zählte er quasi zur Familie. Seit dem 16. Jahrhundert wurde immer wieder Druck ausgeübt, das Deutsche zur Staatssprache zu machen. Darf aber die ungarische Sprache im eigenen Land verkümmern, soll sie für ewig drittklassig bleiben? Sie soll vielmehr allenthalben zu ihrem Recht kommen! Und wo es notwendig war, erfanden und bildeten die Schriftsteller neue Wörter, damit die ungarische Sprache nicht nur für die Zwecke der Nationalliteratur, sondern auch der Wissenschaft und des staatlichen Lebens verwendbar sein sollte.

Die Sehnsucht nach Modernisierung speiste sich aus mehreren Quellen. Das Bürgertum der Städte war zwar schwach, aber es war vorhanden. Es konnte zwar nicht die Führung übernehmen, aber die Blicke auf sich lenken. Während früher viele als Soldaten durch Europa gestreift waren, waren es nun in den friedlicheren Jahrzehnten die Aristokraten, die reisen und Vergleiche anstellen konnten. Die besten von ihnen erkannten die beängstigenden Zeichen der Rückständigkeit und deren

Folgen für das eigene Wohl und das des Landes. Viele Kleinadlige waren verarmt, ihr uralter Grundbesitz war zerstückelt oder verlorengegangen. Sie mußten Ämter übernehmen, und dies war mehr als nur eine neue Existenz. Sie nahmen auf ganz neue Art am öffentlichen Leben teil. Früher hatten sie die Welt nur aus dem Blickwinkel ihres „Hundeleders" betrachtet (aus dem das Pergament für die Adelsbriefe gefertigt wurde). Sie hatten nichts anderes im Auge, als ihre Vorrechte zu verteidigen.

Die überragende Gestalt dieser Epoche, der ersten Hälfte des 19. Jahrhunderts, war Graf István Széchenyi, ein athletisch gebauter Aristokrat mit edlen Gesichtszügen. Schon sein Vater gründete mit großzügigen Spenden zwei öffentliche Einrichtungen, das Nationalmuseum und die Nationalbibliothek, die heute den Namen der Familie trägt. István Széchenyi selbst spendete für die Gründung der Ungarischen Akademie der Wissenschaften eine astronomische Summe. Doch war dies nur eine Episode seines Lebens.

„Sollen die Gewässer der Heimat in ihrer ungezügelten Wut die fruchtbarsten Gegenden des Landes überfluten, und der giftige Atem der ewigen Sümpfe unentwegt Pest und Tod um sich speien? Sollen die Gipfel Severins und die Felsklippen der Donau fortwährend unseren Verkehr mit den anderen Bewohnern der Welt blockieren? Soll ein einziges mageres Jahr, wie schon so oft, auch künftighin die Hälfte des Landes in Elend stürzen? Soll die dem Volke auferlegte formal geringe Steuerlast im Laufe der Zeit immer drückender werden? Soll das Herz des Landes, Buda und Pest, niemals eine beständige Brücke verbinden? Und soll ein festes Theatergebäude einer Nation für immer verwehrt bleiben, die außer ihrer Sprache fürwahr nichts ihr eigen nennen kann? Soll nie eine bessere Kenntnis der Landwirtschaft unsere von der Sonne ausgedörrten kahlen Steppen, unsere verwelkten und schütter bewachsenen Felder begrünen? Sollen Manufaktur, Fabrik und Handel den Reichtum unserer Heimat niemals mehren? Soll der Ungar dem Ausland stets unbekannt bleiben? Nein und nochmals nein! Unsere Heimat, die eines Daseins würdig ist, muß sich der Schmutzwäsche entledigen, die nur Mitleid oder Verachtung verdient." (Aus „Kredit", 1831.)

Wie viele Themen allein in diesen wenigen Zeilen, die nur ein winziger Splitter seiner viele Bände füllenden Schriften sind: Regulierung der Flüsse, Errichtung einer Brücke und eines Theaters, Erwerb von Agrarkenntnissen, Aufbau der Industrie, Belebung des Handels. Wir wollen nur ein einziges Thema herausgreifen: die Plage durch das Hochwasser. Das Karpatenbecken ist eine gewaltige „Schale" mit flachem Boden, so daß alle Gewässer in sie hineinfließen. Der einzige Fluß, der aus ihr herausfließt, ist die Donau. Bevor Széchenyi Schutzvorkehrungen treffen ließ, lebte die Hälfte der Landbevölkerung in Gebieten, die regelmäßig überschwemmt wurden. Auf einem Drittel der landwirtschaftlichen Nutzfläche – meist dem besten Land – richtete das Hochwasser häufig Verwüstungen an. (Die Angaben beziehen sich auf das heutige Territorium Ungarns.) Ein Beispiel für einen ähnlichen Kampf zwischen Wasser und Mensch bieten lediglich die Niederlande, wo das Meer als Feind gilt, dem der Polder, das eingedeichte Land, abgerungen wird.

Doch wir kennen István Széchenyi auch als den Vater der Dampfschiffahrt in Ungarn. Er organisierte – nach der Methode des schottischen Ingenieurs McAdam – den Ausbau eines gepflasterten Straßennetzes, förderte die Bank- und Kreditgeschäfte sowie die Finanzierung der Wirtschaft. Er erkannte den Wert des Plattensees, des größten Binnensees Mitteleuropas, den andere trockenlegen und in Ackerland verwandeln wollten. Er protegierte den Pferdesport und somit auch die moderne Pferdezucht. Es würde zu weit führen, alle seine Ideen und Taten auch nur aufzuzählen. Heute darf man verraten, daß der edle Graf ein Gasgerät, dessen Ausfuhr aus England unter der Androhung der Todesstrafe verboten war, über den Kanal schmuggelte, indem er den Zollbeamten bestach. Es war damals, notabene, nicht anders als heute: Der entwickelte Westen schützte gewaltsam seine Erfindungen und technischen Errungenschaften vor dem Osten. Noch schwerer als die Lebensgefahr mochte bei Széchenyi ins Gewicht gefallen sein, daß eine Entlarvung seine Verwandten und Freunde in den erlesensten Kreisen der britischen Aristokratie und des Hofes sehr peinlich berührt hätte. Noch wenige Tage zuvor war er dort umschwärmt worden.

Das Leben dieses großartigen Mannes war voll von inneren Kämpfen, Zwiespalt und Leid. Nicht nur mit der Rückständigkeit seiner Heimat, den Ewiggestrigen oder auch den Hitzköpfen mußte er bis zu seinem Tod ringen. Seine Jugend überschattete das leichtfertige, schuldhafte Verhältnis mit der Frau seines Bruders, einer Engländerin namens Caroline Meade. Nach vielen Jahren, nach dem Tod ihres Mannes, heiratete er seine große Liebe. Doch die solange erwartete späte Ehe war nicht glücklich. Auch bei Széchenyi drängt sich ein Vergleich mit Hamlet auf: Seine Tagebücher sind voll von Zweifeln, Grauen und dem Gedanken an den ersehnten Tod.

Um ein Jahrzehnt jünger und – vielleicht nur scheinbar – radikaler war Lajos Kossuth, ein im Grunde deklassierter Angehöriger des mittleren Adels, der seine Karriere zunächst im Komitat und später im Landtag begründete. Mit ihm – und dem bis heute vieldiskutierten Streit zwischen Széchenyi und Kossuth – kommen wir bereits zum ungarischen Kapitel der europäischen Freiheitsbewegungen des Jahres 1848.

Die Landtagsjugend – Sekretäre und Stellvertreter von Delegierten –, Juraten, das heißt Jurastudenten, junge Schriftsteller und andere Intellektuelle machten in Ungarn jene Ideen der Jahrhundertmitte heimisch, die eine ganze Reihe von Hauptstädten zwischen Paris und Prag in Wallung brachten, ja sogar zur Revolution führten. In diesem Prozeß, der bei Winterende und im Frühjahr 1848 vor sich ging, spielte Lajos Kossuth eine hervorragende Rolle. Bei ihm zeigte sich ein eigenartiges Zusammentreffen von gesellschaftlichem Impetus, Charakter und sich bietenden Möglichkeiten, die er zu nutzen wußte. Seine Jugend verbrachte er in Zemplén, dort, wo der Tokajer gedeiht. Als Beamter des Komitats hatte er großen Anteil an der Eindämmung des Choleraaufstandes im Jahr 1831. Die verzweifelten, notleidenden Leibeigenen in Nordungarn machten ihre Herren für die Epidemie verantwortlich, da sie die Desinfizierung der Brunnen mit Chlorkalk in ihrer Verblendung für Vergiftung hielten. Der Aufstand wurde vom Militär blutig erstickt und mit Hinrichtungen und massenhaften Auspeitschungen geahndet. Kossuth verteidigte damals, mit viel persönlichem Mut und Organisationstalent, seine eigene Schicht. Allerdings erkannte er dann mehr und mehr die Symptome und Folgen der gesellschaftlichen Stagnation in Ungarn, die auch in diesem Aufstand zum Vorschein kamen.

Kossuth war ein schöner Mann und ein vorzüglicher Redner. Als seine Karriere in Zemplén ins Stocken geriet, suchte er in Preßburg ein neues Betätigungsfeld. Während er so das provinzielle Forum gegen ein landesweites tauschte, erkannte er mit sicherem Gespür die Mängel der Presse, des Informationswesens, die lähmende Wirkung der Zensur. Zunächst wuchs sein Nimbus – und der Kreis seiner Anhänger – durch die anfangs handschriftlichen, von der Behörde stets behinderten Berichte aus dem Landtag, später durch seine sich immer stärker entfaltende publizistische und politische Tätigkeit. Er gehörte zu den Organisatoren eines Boykotts österreichischer Waren und setzte sich für die Entwicklung der heimischen Industrie ein – in Ermangelung von Kapital auf die nationale Begeisterung bauend. Dabei wurde auch dafür geworben, daß sich die Damen nach ungarischem Brauch kleiden sollten.

So reifte denn jener Kossuth heran, der in den Jahren 1848/49 die führende Rolle spielen sollte. Der wichtigste politische Faktor war er bereits, als sich sein konkretes politisches Handeln noch in bescheidenen Grenzen hielt.

Zwischen Wien und Pest – sowie Preßburg, wo der Landtag tagte – waren explosive Ideen im Umlauf. An ihnen entzündete sich die Volksbewegung, die am 15. März 1848 in Pest zum Ausbruch kam. Mag sie noch so heftig und stürmisch gewesen sein, zu Beginn ließ sie den Weg zu einer verfassungsmäßigen Einigung offen. Erst gezwungen durch das störrische und heimtückische Verhalten des Hofes und im Zuge einer eigengesetzlichen Radikalisierung gingen die Ungarn zum bewaffneten Widerstand über. Später, in Debreczin, taten sie den Schritt zur Entthronung der Habsburger.

„Was verlangt die ungarische Nation? Daß Friede sei, Freiheit und Eintracht!

1. Wir verlangen die Freiheit der Presse, die Abschaffung der Zensur.
2. Ein verantwortliches Ministerium in Buda-Pest.
3. Alljährliche Abhaltung des Landtags in Pest.
4. Gleichheit vor dem Gesetz in bürgerlicher und religiöser Hinsicht.

5. Eine Nationalgarde.
6. Allgemeine Lastenverteilung.
7. Abschaffung der Leibeigenschaftsverhältnisse.
8. Geschworenengerichte, Vertretung auf der Basis der Gleichheit.
9. Eine Nationalbank.
10. Das Militär soll den Eid auf die Verfassung leisten, unsere ungarischen Soldaten sollen nicht im Ausland eingesetzt werden und die ausländischen Truppen sollen das Land verlassen.
11. Freilassung der politischen Gefangenen.
12. Union mit Siebenbürgen. Gleichheit, Freiheit, Brüderlichkeit!"

Das waren die 12 Punkte. Statt ausführlich zu schildern, was in jener Phase des ungarischen Feudalismus die Abschaffung der Leibeigenschaftsverhältnisse bedeutete oder warum man die Union mit Siebenbürgen für notwendig hielt, das wieder unter Wiener Herrschaft geraten war, möchte ich lieber darauf hinweisen, wie sehr diese dramatische Proklamation durch Zeit und Raum geprägt wurde: Spürbar sind die leidenschaftliche Hast, die provisorische Formulierung, geboren aus der Hitze des Augenblicks. Das Pendant zu den 12 Punkten bildet das Nationallied von Sándor Petőfi, das er in der Nacht zum 15. März schrieb. Es beginnt mit hohem Pathos:

> Auf. die Heimat ruft, Magyaren!
> Zeit ist's, euch zum Kampf zu scharen.
> Wollt ihr frei sein oder Knechte?
> Wählt! Es geht um Ehr' und Rechte!
> Schwören wir beim Gott der Ahnen:
> Nimmermehr
> Beugen wir uns den Tyrannen
> Nimmermehr!

Das Nationallied erlangte im Freiheitskampf 1848/49 nur zum Teil die Wirkung einer ungarischen Marseillaise, weil es keine wirklich gute Vertonung fand. (Übrigens auch später nicht.) So konnte die Masse das Lied, wenn es von Schauspielern oder begeisterten Patrioten vorgetragen wurde, höchstens im Refrain laut mitsprechen, aber nicht singen.

Die 12 Punkte sowie das Nationallied sind die zwei Texte, mit denen das revolutionäre Pest zeigt, daß auf Worte Taten folgen. Wird schon im ersten Punkt die Abschaffung der Zensur gefordert, so besetzen die Aufständischen die bekannteste Pester Druckerei, erwirken dort den Druck der Aufrufe in Prosa und Versform und überfluten mit den Flugblättern die Straßen. In Buda wird der „politische Gefangene" Mihály Táncsics befreit, was allein schon deshalb als bedeutende Tat der bürgerlichen Revolution von 1848 Beachtung verdient, weil Táncsics ein militanter Vorläufer des noch kaum existenten ungarischen Proletariats ist.

Im weiteren wollen wir lediglich den Hauptstrom der Ereignisse verfolgen. Das Habsburgerreich stand ringsum in Flammen, und wo es noch nicht brannte, dort fehlte nur wenig dazu. Kaiser Ferdinand I. (als König von Ungarn und Böhmen Ferdinand V., 1835–1848) – genauer gesagt: die Ratgeber des kränkelnden und unbedeutenden Herrschers – billigte auf Anhieb und allzu bereitwillig die Bildung einer verantwortlichen ungarischen Regierung. In ihr saßen Schulter an Schulter der Minister für öffentliche Arbeiten und Verkehrswesen István Széchenyi und der Finanzminister Lajos Kossuth. Ministerpräsident wurde Graf Lajos Batthyány, der diesen gefahrvollen Posten keineswegs wollte, jedoch wegen seiner Charakterfestigkeit und Besonnenheit fast uneingeschränktes Vertrauen genoß.

Vermengten sich in der Regierung Feuer und Wasser?

Nun, Széchenyi und Kossuth hatten niemals über die wichtigsten Ziele gestritten, nur über die Wege dahin. Széchenyi fürchtete das Flammenmeer, das er für unaufhaltsam hielt. Er war überzeugt, daß sich mit Geduld und Argumenten die Hindernisse beseitigen ließen, die Kossuth mit einer Brandfackel niederbrennen wollte. Széchenyi liebte und beherrschte die Kunst des Argumentierens, Kossuth legte es auf die Begeisterung der Menge an. Bald sollten keine Argumente mehr nötig sein. Dagegen wurde die Fähigkeit, die Massen zu begeistern, zur unentbehrlichen Munition, die mitunter das Schießpulver ersetzte. Doch es steht durchaus nicht fest, daß all das für den Begeisterer der Massen und gegen den Argumentierer spricht.

Als Wien zur Besinnung kam, griff es nicht frontal an. Es nutzte aus, daß Kroatien – das zu Ungarn in einem Abhängigkeitsverhältnis stand – mehr Selbständigkeit wollte: nicht anders, als die Ungarn von den Österreichern, forderten die Kroaten sie von den Ungarn. Der Wiener Hof mobilisierte die Kroaten, indem er ihnen etwas versprach, was ihm innerhalb der eigenartigen staatsrechtlichen Struktur des Reiches nicht – zumindest nicht unmittelbar – gehörte. Die vom Süden her einfallenden kroatischen Truppen kamen nicht bis Pest. Sie wurden von den in Windeseile aufgestellten ungarischen Honvéds, im Grunde Landsturmleute, zersprengt und in die Flucht gejagt. Da sie jedoch nicht heimwärts, gen Agram, sondern gen Wien flohen, schlugen auch ihre Verfolger diese Richtung ein.

Dazu fühlten sie sich um so mehr ermutigt, als Anfang Oktober in Wien der Aufstand erneut ausgebrochen war. Wenn auch nicht gleich der „Fürst" auf der Straße aufgehängt wurde – selbst Petőfi rief dazu erst in einem späteren Gedicht auf –, so widerfuhr dies immerhin dem Kriegsminister. Die erste eigenverantwortliche ungarische Regierung – im Grund eine Koalitionsregierung, die die verschiedenen Strömungen auszugleichen bemüht war – trat zurück. Der Verteidigungsausschuß, dessen Vorsitzender Lajos Kossuth wurde, trat an ihre Stelle. Das ungarische Heer überschritt zwar die Landesgrenze, blieb aber vor Wien stehen. Allerdings nicht aus Respekt vor dem Feind. Für eine Weile gewannen Vorsicht und die Illusion der Verfassungsmäßigkeit die Oberhand. Als sich jedoch die Lage zu Hause weiter radikalisierte – indessen der aus Wien geflohene Hof eifrig versuchte, Serben und Rumänen gegen die Ungarn aufzuwiegeln –, setzte das ungarische Heer seinen Vormarsch fort, um Wien aus der Umzingelung durch die neuorganisierten kaiserlichen Truppen zu befreien – und erlitt eine Niederlage.

Ende 1848 zwang der Hof den unfähigen Ferdinand I. zum Rücktritt. Ersetzt wurde er durch seinen erst 18jährigen Neffen Franz Joseph I. (1848–1916), der damit seinen Vater, den eigentlichen Thronfolger, „übersprang“. Zwar befand er sich zunächst unter dem starken Einfluß seiner herrschsüchtigen Mutter; doch schon an dieser Stelle sei gesagt: 68 Jahre lang sollte er eine ausschlaggebende Rolle spielen.

Wer wurde in Ungarn durch die nun folgenden Ereignisse bestätigt? Wenn es überhaupt Sinn hat, in einer revolutionären Situation nach Bestätigung zu fragen! Die in Wien siegreichen kaiserlichen Truppen gingen bald auch auf ungarischem Boden zum Angriff über, besetzten Buda und auch Pest. Doch der Frühjahrsfeldzug 1849 zeitigte – wiewohl die nahezu im ganzen Land geführten Kämpfe wechselvoll verliefen – im wesentlichen ungarische Erfolge. Die Kriegshandlungen in Siebenbürgen standen unter der genialen Führung des polnischen Generals Joseph Bem, dieses feurigen umherziehenden Soldaten der europäischen Revolutionen, der dann in seinem letzten Exil den islamischen Glauben annehmen und den Rest seines Lebens als türkischer Pascha in Aleppo zubringen sollte. Der Oberbefehlshaber des ungarischen Heeres, Artúr Görgey, ist der vielleicht umstrittenste Feldherr der ungarischen Geschichte, aber seinen persönlichen Mut und seine militärischen Fähigkeiten kann niemand in Zweifel ziehen. Allerdings eignete er sich wegen seiner Mentalität kaum zum Führer einer revolutionären Armee. Eigensinn und Eitelkeit machten ihn ungewollt zum Rivalen Kossuths, der in mancher Hinsicht ähnlich veranlagt war. Zwischen der politischen und der militärischen Führung der Revolution kam es ständig zu Reibereien, und auch die Armee ging nicht einheitlich vor, da sie von konkurrierenden Generälen geführt wurde, deren Charaktere, Denkweisen und politische Ansichten verschieden waren.

So war denn die innere Lage begeisternd und verworren zugleich. Mit dem Papiergeld – den Kossuth-Banknoten – gelang es für einige Zeit, die Wirtschaft intakt zu halten, so daß die Versorgung der Streitmacht mit Kleidung, Lebensmitteln und Kriegsmaterial den Umständen entsprechend nicht schlecht war. In der neu entstandenen Kriegsindustrie wetteiferten ungarische Tausendsassas wie der Szekler Áron Gábor, der nahezu aus dem Nichts eine Kanonengießerei hervorgezaubert hatte, mit kurz zuvor eingewanderten Handwerker- und Fabrikantenfamilien, die bald eine ungarische Gesinnung angenommen hatten. Die ungarischen Juden brachten nicht nur erhebliche materielle Opfer, nicht minder groß war ihre persönliche Teilnahme am Freiheitskampf.

Doch die Geschichte wiederholt sich. Schon in der Ära Rákóczi hatten sich die Interessengegensätze zwischen Adligen und Bauern gezeigt. . . Die Befreiung der Leibeigenen war zwar nun gesetzlich verankert. Aber da auch der Hof diese Errungenschaft akzeptiert hatte, vermochte sie für die Sache der nationalen Befreiung wenig zu leisten. Dagegen blieben viele kleinere Frondienste in Kraft, auf die sich das Grundgesetz nicht bezog; es blieb weiterhin umstritten, ob sie beibehalten oder abgeschafft werden sollten. Und die besitzlosen Bauern, die Kätner, hatten nichts hinzugewonnen, was zu verteidigen gelohnt hätte.

Indessen war die Olmützer Verfassung Franz Josephs fertiggestellt. Damit wurde Ungarn in eine ähnliche Lage versetzt, in der es sich nach dem Abzug der Türken befunden hatte, als das Kriegsrecht gegolten hatte. Allerdings wurde die Gleichberechtigung der Nationalitäten im Habsburgerreich festgelegt. Dies mindestens hätten nun auch die Ungarn tun müssen. Oder wären vielleicht nicht einmal dadurch alle natürlichen Wünsche in den nicht von Ungarn bewohnten Randgebieten des Karpatenbeckens zufriedengestellt worden?

In dieser Situation bedeutete die nach umfangreichen Debatten verfügte Entthronung der Habsburger eine tollkühne Flucht nach vorn. Kossuth wurde Reichsverweser, seine Regierung verfolgte jedoch einen gemäßigten Kurs und zeigte sich verhandlungsbereit. Bruch mit Habsburg und zugleich Suche nach einem Kompromiß? Allerdings war niemand da, mit dem man hätte verhandeln können. Wenige Wochen nach der Entthronung verkündete der Zar aller Reußen, Nikolaus I., seine bewaffnete Hilfe. Franz Joseph I. bedankte sich dafür bei ihrem Treffen in Warschau.

Die zumeist aus Kosaken bestehenden zaristischen Truppen drangen, zwar nicht ohne Stocken, aber dennoch überlegen, gegen die zwischen zwei Feuer geratenen Freiheitskämpfer vor, die einmal großartig kämpften, dann wieder den Mut fahrenließen. Jetzt nützte der Beschluß, allen Nationalitäten die gleichen Rechte zu gewähren, nichts mehr, und nutzlos waren auch alle anderen Versuche, die Katastrophe abzuwenden. Kossuth dankte ab und floh. Der mit Vollmachten ausgestattete Görgey legte mit der Hauptarmee am 13. August 1849 bei Világos im Komitat Arad die Waffen vor den russischen Truppen nieder.

Wie schon beim Friedensvertrag von 1711, der von Baron Sándor Károlyi arrangiert worden war, erhebt sich erneut die bohrende Frage: War Artúr Görgey ein Verräter? Davon handeln unzählige Bücher, die eine ganze Bibliothek füllen, auch etwa ein Dutzend Dramen. Wir wollen ein paar Argumente und Fakten festhalten. Die ungarische Armee schrumpfte zunehmend, wurde hinsichtlich Moral und Ausrüstung immer schwächer. Wegen der Entthronung der Habsburger wandten sich viele vom Freiheitskampf ab. Die zaristischen Truppen ihrerseits wurden von der Cholera heimgesucht, denn eine Seuche ist nicht wählerisch. General György Klapka, der sich mit der Burgwache und den vielen Soldaten, die es zu ihm verschlug, hinter die starken Mauern der Festung Komorn zurückzog, konnte die Festung auch noch nach der Kapitulation bei Világos halten. Als er sich schließlich doch ergab, erhielt er mit allen seinen Leuten volle Amnestie. Görgey vertraute den zaristischen Generälen, die ihm Amnestie versprachen, die aber – was auch die anständigeren unter den Russen empörte – von den Österreichern nach der Kapitulation mißachtet wurde. Es hätte noch den einen oder anderen Winkel im Land gegeben – zum Beispiel die tief in den Plattensee hineinreichende Halbinsel Tihany –, wo die restlichen Aufständischen sich hätten verschanzen und ähnliche Kapitulationsbedingungen erreichen können wie die Verteidiger von Komorn . . .

Es ist eine tragische Tatsache, daß – Görgey hatte

bereits am 13. August kapituliert – der österreichische Ministerrat am 16. August die Militärregierung veranlaßte, äußerst günstige Verhandlungsbedingungen auszuarbeiten. Bis jedoch die Nachricht von der Kapitulation bei Világos nach Wien gelangte, war diese Anordnung durch eine andere abgelöst worden, in der von strenger Vergeltung die Rede war.

Die zaristische Armee zog ab. In Ungarn wurde der österreichische Feldzeugmeister Haynau Herr über Leben und Tod. Am 6. Oktober wurden in Arad auf seinen Befehl 13 Generäle durch den Strang oder – gnadenhalber – durch Erschießen hingerichtet. Vielleicht ist es gegenüber den unzähligen Opfern ungebührlich, daß wir die Dreizehn von Arad so oft im Munde führen und der Tag ihres Martyriums ein nationaler Trauertag ist. Denn es starben noch Hunderte, Tausende wurden eingekerkert, und Zehntausende mußten, zu Gemeinen degradiert, auf unabsehbare Zeit in den entlegensten Garnisonen des Reiches dienen.

Am 6. Oktober 1849 wurde auch Graf Batthyány, der ehemalige Ministerpräsident, hingerichtet, obwohl er stets mäßigend gewirkt hatte. Es ist eine Frage für Psychoanalytiker, warum Franz Joseph I. ein Gemälde von dieser Hinrichtung in seinem Appartement in der Hofburg aufbewahrte, um es Tag für Tag zu betrachten. War er so sehr vom Haß durchdrungen? Oder war es eine merkwürdige Art von Buße? Der seltsame Charakter dieses Kaisers läßt beides denkbar erscheinen.

Haynau, der wegen seiner Greueltaten in Italien auch Hyäne von Brescia genannt wurde, schuf eine Atmosphäre, die bald auch Wien mißfiel. Der Kaiser ließ ihn ablösen. In seiner Wut befahl Haynau – Laune eines Schizophrenen – schnelle Hinrichtungen und sprach gleichzeitig unerwartete Begnadigungen aus. Sein Name und sein Konterfei waren europaweit derart verhaßt, daß ihm englische Hafenarbeiter, die ihn als privaten Reisenden erkannten, eine Tracht Prügel verabreichten. Gegen Ende seines Lebens kaufte er in Ostungarn – erneut eine seltsame Wende – ein Gut, um dort als biederer Grundbesitzer sein Dasein zu fristen. Erst unlängst hat ein Forscher phantastische Legenden gesammelt, die in dieser Gegend noch heute über ihn und seine Familie kursieren. Sie schildern ihn als einen Vampir à la Dracula.

Der Ausgleich und die Millenniumsfeier

Der Rest ist Schweigen? Die nach 1849 einsetzende Ära Bach, so benannt nach dem damaligen österreichischen Innenminister Bach, brachte eine neue Variante des Absolutismus, anhand deren man versuchte, gleichzeitig zu konservieren und dem unabwendbaren Fortschritt den Weg zu bahnen.

Ungarn lebte jahrelang in Trauer gehüllt. Die Menschen besuchten die Gefängnisse, schrieben Gnadengesuche, versteckten Flüchtlinge bei sich – und träumten. Ihre Hoffnungen setzten sie in die Vorgänge im Ausland: in die Bewegung Garibaldis in Italien, um den sich eine Zeitlang wieder Europas ruhelose Freiheitskämpfer scharten, und auch in Napoleon III., der vom Korsen den berühmt-berüchtigten Namen, aber sonst nichts geerbt hatte.

Legenden wucherten. Die meisten über den Dichter Sándor Petőfi, der im Rang eines Majors Adjutant des Generals Bem, dieses polnischen Teufelskerls, gewesen und aller Wahrscheinlichkeit nach in der letzten bedeutenden Schlacht bei Schäßburg von der Lanze eines Kosaken durchbohrt worden war. Doch die Nation wollte sich damit nicht abfinden. Wie im alten Rußland falsche Zaren, so tauchten überall in Ungarn falsche Petőfis auf. Man nahm auch an, Petőfi sei als Gefangener nach Sibirien verschleppt worden. Bis auf den heutigen Tag hat er keine Grabstätte, nach dem „Geheimnis" seines Todes wird heute noch geforscht.

Lajos Kossuth und sein emigrierter Generalstab warben, von Land zu Land ziehend, um Hilfe oder wenig-

155

stens Sympathiebekundungen. An letzteren gab es denn auch keinen Mangel. Besonders erfolgreich gestalteten sich die Reisen des ehemaligen Reichsverwesers durch Großbritannien und die Vereinigten Staaten von Amerika. Er brillierte durch seine rednerische Begabung, nahm durch sein männliches Profil ein. Seine besten Eigenschaften kamen zur Geltung. Als er sich schließlich in Turin niederließ, wurde aus dem Volkstribunen ein lebendes Denkmal, ein Nationalidol, das sich oft zu Wort meldete. An Werktagen war er Polyhistor, ein in vielen Fächern bewanderter Naturforscher, der über Spinnen und Moospflanzen korrespondierte und im Stillen an seinen Erinnerungen schrieb. Festtag war für ihn, wenn ihn Gäste aus der Heimat, ja sogar Delegationen aufsuchten, deren Zahl ständig stieg. Für Debatten in Ungarn galt er als Orakel, für eine Reihe von politischen Richtungen war er entweder ein unumgänglicher Orientierungspunkt oder zumindest einer, auf den man sich berufen konnte. Er war der verbannte, aber dennoch allgegenwärtige *pater familias* der Nation, er war es, dem man eine Kostprobe des ersten, vom neuen Korn gebackenen Brotes vorsetzte; er war es, den man bat, den frisch abgezogenen Wein zu verkosten. Man holte seine Meinung in Gerichtsangelegenheiten ein und bat ihn, in Abwesenheit das Amt des Trauzeugen oder des Taufpaten zu übernehmen – doch seine wahre Meinung beachtete man immer weniger.

Österreich führte zunächst Krieg gegen Frankreich, dann gegen Preußen. Mit wenig Erfolg. Im Süden mußte es Einbußen seiner Macht in Italien hinnehmen. Im Nordwesten suchte Bismarck Wien daran zu hindern, sich in deutsche Angelegenheiten einzumischen, wenngleich es dies ein halbes Jahrtausend lang getan hatte. Zum Ausgleich sollte Österreich sich auf dem Balkan schadlos halten. (Daraus erwuchs dann der

Erste Weltkrieg – aber so schnell sollten wir wohl nicht vorgehen.) Gemessen an der Schwere der militärischen Niederlage, waren die Friedensbedingungen auffallend mild. Die europäische Machtkonstellation brauchte in der Mitte des Kontinents ein Staatsgebilde, das die Kräfte der Deutschen spaltete, den Slawen Schranken setzte und die erwachenden kleineren Nationen Mitteleuropas unter der Fuchtel hielt. Das Reich der Habsburger hätte auch schon in der Mitte des 19. Jahrhunderts aufgeteilt werden können. Erfüllt vom Sendungsbewußtsein der Dynastie und seiner selbst – wie hätte Franz Joseph I. erkennen können, daß es dazu nur deshalb nicht kam, weil andere seine Monarchie benötigten?

Kossuth reiste viele Jahre umher, versuchte lange Jahrzehnte die Gegenkräfte zu organisieren, oder zumindest verfolgte er wachsam von Turin aus die Geschehnisse. Die Emigration könnte man sogar als Gipfel seines Lebens betrachten. István Széchenyi hingegen, den Kossuth in einem Moment der Erregung als den größten Ungarn bezeichnet hatte, ging an dem von ihm klar vorausgesehenen Scheitern der Revolution zugrunde. Bevor er sich nach mehreren Selbstmordversuchen in einer Nervenheilanstalt unweit von Wien eine Kugel in den Schädel jagte (1860), hatte sein Zustand zwischen Wahn und klarem Verstand geschwankt. Doch für ihn war der Zustand des klaren Verstandes das schlimmere Übel. Hatte ihn dies, die Erkenntnis der Unerfüllbarkeit seines Auftrags, aufgerieben?

In den Kriegen Österreichs gegen Frankreich (1859) und Preußen (1866) kämpften die österreichischen Truppen zwar mutig, aber ihre Ausrüstung war miserabel, sie waren mit Vorderladern bewaffnet, und zahlreiche Truppenteile trugen schneeweiße Monturen, die sich als Zielscheiben eigneten. Dabei war das tarnende

Feldgrau bereits erfunden. Franz Joseph I., der ein gewissenhafter Staatsbeamter war – seine Haupttugend – und den Bedürfnissen der Armee stets den Vorrang einräumte, wählte reihenweise die falschen Armeeführer. Es ist eine Ironie des Schicksals, daß in beiden erwähnten Kriegen jeweils ein ungarischer hochrangiger Offizier eine Schlüsselrolle innehatte. Sie waren zwar dem Hof und dem Kaiser hundertprozentig ergeben, aber sie besaßen kein Talent. Die militärischen Fiaskos, an denen sie teilhatten, eröffneten im Grund den Weg zum Ausgleich von 1867.

Die Lehren der Kriege wie auch die zivile Entwicklung geboten das gleiche: Modernisierung. Nun stellte sich heraus, daß das verbliebene Reich, neben vielen kleineren und größeren, zwei entscheidende Schwerpunkte hatte: Wien und Pest. Die eine Stadt konnte ohne die andere nicht gedeihen. So wurde von zwei Seiten die Brücke gebaut, die die Kluft von 1848/49 wieder überspannte. Österreich war hinter dem Westen Europas zurückgeblieben. Ungarn wiederum hinter Österreich (wie auch hinter Böhmen und Mähren). Es mußte einfach etwas getan werden. Eine Expansion auf dem Balkan wäre nicht möglich gewesen, wenn es nur gelungen wäre, die Ungarn militärisch und verwaltungsmäßig zufriedenzustellen. Tausend Fäden durchwirkten die staatsrechtliche Konstruktion, die schließlich im Jahr 1867 zustandekam. Damit begann das Zeitalter des Dualismus. Verkörpert wurde er durch ein seltsam ausgewogenes Gebilde: die österreichisch-ungarische Monarchie.

An ihrer Herausbildung hatte auf ungarischer Seite der untersetzte, joviale Ferenc Deák, ein Angehöriger des mittleren Adels, den Löwenanteil. Sein schmückender Beiname: Weiser des Vaterlandes. Was er in vielen Anläufen, durch Feilschen, Rückzieher und gegenseitige Kompromisse mit Wien aushandelte, war eine doppelte Staatskonstruktion, deren politische Tragfähigkeit wechselhaft war und deren innere Gesetze sich in weiteren schweren Debatten und Kämpfen, stets mit Verspätung, herausbildeten. Doch ihre ökonomischen Möglichkeiten und Dimensionen schienen jahrzehntelang nahezu unbegrenzt. So begann eine glückliche Friedenszeit. Sie umspannte eine oder anderthalb Generationen – wog aber ein ganzes Jahrhundert auf.

Im kaiserlichen und königlichen Staatswesen, in der k. u. k. Monarchie, wurden die auswärtigen und die militärischen Angelegenheiten Österreichs und Ungarns in gemeinsamen Ressorts verwaltet. Ferner gab es ein gemeinsames Finanzministerium. Die anderen Ministerien waren getrennt. (Der ungarische Partner steuerte 30 Prozent zum gemeinsamen Budget der Monarchie bei.) Die sonstigen Bereiche waren in komplizierter Vielfalt mit dem einen oder anderen Teil der Monarchie verknüpft. Das Außenministerium wurde längere Zeit von einem Ungarn geleitet, ansonsten aber standen die gemeinsamen Angelegenheiten nicht unter ungarischer Aufsicht. Zuweilen wurden erbitterte Auseinandersetzungen geführt: sei es um den gemeinsamen Haushalt oder um die Absonderung der ungarischen Heereseinheiten und den Gebrauch der ungarischen Kommandosprache.

Aber bleiben wir zunächst bei den „Flitterwochen". Nach romantischer Mutmaßung spielte beim Ausgleich im Jahr 1867 das Herz eine wichtige Rolle. Franz Joseph I. hatte sich 1854 mit seiner Kusine ersten Grades, der 16jährigen bayerischen Prinzessin Elisabeth, vermählt. Die Ehe, ursprünglich ein Liebesbund, ging allmählich in die Brüche, um schließlich in eine Trennung ohne Scheidung zu münden. Das Leben der sich nach Emanzipation sehnenden, intellektuell veranlagten

DIE ÖSTERREICHISCH-UNGARISCHE MONARCHIE, 1914

Grenze der österreichisch-ungarischen Monarchie
Grenze Ungarns
Grenze von Kroatien-Slawonien
Landesgrenzen innerhalb Österreichs
Okkupationsgebiet Bosnien-Herzegowina

DEUTSCHLAND

BÖHMEN
Prag

Brünn
MÄHREN

München

Linz

Wien
Pr

Neusiedler See

Salzburg

Ödenburg
Stuhl

Innsbruck

ÖSTERREICH
Graz

Platt

SCHWEIZ

Drau

Fün

Triest
Agram

Venedig
Fiume
KROATIEN-SLAW

ITALIEN

Sav

BOSNI
HERZEG

Adriatisches Meer

DALMATIEN

warmherzigen und auffallend hübschen jungen Frau, die allerdings ein schweres Gemüt hatte, verbitterte die tyrannische Schwiegermutter, die Erzherzogin Sophie, eine Ungarnhasserin, so sehr, daß sie aus Trotz immer mehr Sympathie für die Ungarn bekundete. Sie lernte ihre Sprache, studierte ihre Geschichte, suchte den persönlichen Kontakt zu ihnen. Ungewiß ist, bis zu welcher Vertraulichkeit ihre Beziehung zum Grafen Gyula Andrássy ging, der zu seiner Zeit als anziehendster europäischer Staatsmann galt. (Im Jahr 1849 war er Görgeys Adjutant, dann einer der Organisatoren der Emigration. Im Jahr 1851 wurde er in Abwesenheit zum Tod verurteilt und symbolisch aufgehängt; danach kehrte er aufgrund der Amnestie in seine Heimat zurück. Ab 1867 bekleidete er den Posten des Regierungschefs, er war also der zweite verantwortliche Ministerpräsident Ungarns. Später übernahm er das gemeinsame Außenministerium und war der vielleicht erfolgreichste Außenpolitiker der Doppelmonarchie. Allerdings resultierten seine Erfolge, die sich im Erstarken der Monarchie äußerten, aus einer zunehmenden Orientierung auf Deutschland, aus der Verpflichtung gegenüber diesem Nachbarn, was sich schließlich als gefährlich erwies.) Sicher ist, daß Elisabeth den menschlichen Habitus und die politischen Ansichten des weisen Deák überaus verehrte, und sie gab dies durch viele Zeichen zu erkennen. In der Zeit des Ausgleichs war Elisabeth noch Ehefrau und nicht nur Kaiserin und Königin. Zehn Jahre nach ihrem dritten Kind kam ihr viertes, Marie Valerie, im Sommer 1868 zur Welt.

Letzten Endes war der Ausgleich, die Schaffung eines staatlichen Dualismus, der höher zu bewerten ist als eine Personalunion, eine historische, vor allem eine ökonomische Notwendigkeit. Die Grundlagen dafür konnten nicht von zufälligen menschlichen Faktoren abhängen, auch wenn diese bestimmte Details stark beeinflußten.

Kossuth griff vom Ausland her leidenschaftlich Deák und sein Werk an. Seine Prophezeiung, die Ungarn würden in ihr Verderben rennen, wenn sie sich an die zum Untergang verdammte Monarchie klammerten, enthält viel Wahres. Aber war wirklich alles von vornherein angelegt, was infolge des Ersten Weltkrieges eintrat? Und was hätte man im dazwischenliegenden halben Jahrhundert anders machen können? Die Hoffnung auf aktive revolutionäre Umwälzungen war dahingeschwunden. Die in der Ära Bach zur Meisterschaft entwickelte passive Resistenz, der halsstarrige tagtägliche Widerstand gegen die fremde Staatsmacht, hat sich bei den Ungarn derart eingefressen, daß er bis heute vielfach nachwirkt. Für einen ungarischen Staatsbürger ist es nicht etwa unmoralisch, vielmehr gilt es geradezu als nationale Tugend, den Zollbeamten zu überlisten, zollpflichtige Waren über die Grenze zu schmuggeln, Steuern zu hinterziehen, schwarz Schnaps zu brennen, die Behörde auf Schritt und Tritt übers Ohr zu hauen. Doch das sind – reden wir nicht herum – letztlich negative Tugenden, auf denen man eine entwickelte Wirtschaft und eine gesicherte Zukunft der Nation nicht aufbauen kann.

In Europa hatte sich beträchtliches freies Kapital angesammelt, das auf die ersten Anzeichen der inneren Konsolidierung der Monarchie hin – vor allem aus Berlin und Wien – nach Ungarn zu fließen begann. Es flimmert einem geradezu vor den Augen, wenn man sieht, wie all das und auch noch mehr, was Széchenyi unter soviel Qualen erträumt, eifrig propagiert und auch begonnen hatte, jetzt nach und nach verwirklicht wurde. Anstatt die Kilometerzahlen der neugeschaffenen Straßen und Eisenbahnlinien sowie die üblichen statistischen Daten anzuführen, möchte ich ein plastischeres

Bild des Aufschwungs im letzten Drittel des 19. Jahrhunderts und um die Jahrhundertwende zeichnen.

In den Jahren 1960 bis 1980 fiel auf, wie viele renommierte ungarische Betriebe ihren hundertsten Gründungstag feierten. Hinter den Fabrikgründungen verbergen sich ungeschriebene ungarische Versionen der „Buddenbrooks", der „Forsyte Saga", der „Familie Thibault", der „Artamonows".

Die Städte, die nach der Vertreibung der Türken barockes Gepräge erhalten hatten, veränderten ihr Gesicht rasch nach den Moden des Klassizismus, des Jugendstils und des Eklektizismus. Weiter weg vom Zentrum, in den Randgebieten, zeigten Fabriken und Arbeitersiedlungen das spröde Aschgrau des klassischen Kapitalismus und der beginnenden Agglomeration. Eine große Zahl noch heute stehender robuster, geräumiger Bauten – Bahnhöfe, Postämter, Kasernen, Schulen, Amtsgebäude, Banken und Museen – trägt die unverkennbaren Merkmale dieser Epoche.

Laut der historischen Geographie veränderte sich das natürliche Bild des Karpatenbeckens, wie es sich den Magyaren Árpáds geboten hatte, erst in dieser Zeit grundlegend. Über ein Jahrtausend waren die Flora und der Lauf der Flüsse nahezu unverändert geblieben. Zwar hatte Széchenyi schon 1846 den ersten Spatenstich zu den gigantischen Arbeiten der Stromregulierung und Entwässerung getan, aber eine echte Fortsetzung konnte erst nach 1867 erfolgen. Bei diesen Bauvorhaben fanden die besitzlosen Bauern und Kätner – nunmehr Agrarproletarier –, die durch die Aufhebung der Leibeigenschaft nicht das geringste gewonnen hatten, für Jahrzehnte feste Arbeit. Sie fanden Arbeit bei der Errichtung von Eisenbahnlinien und beim Städtebau. Hier wurde eine große Menge unqualifizierter Arbeitskräfte benötigt, zumal es überall selbst an den einfachen

Maschinen fehlte, mit denen der Suezkanal erbaut wurde. Die ungarische Entwicklung setzte schwungvoll ein, bewahrte aber viele konservative Züge. So etwa ließen die Latifundienbesitzer ihre Äcker mit riesigen Dampfmaschinen bestellen. Dadurch wurde die Scholle tiefer umgegraben, so daß die Erträge sprunghaft stiegen. Aber die überall in Europa bekannten Mähmaschinen wurden nicht eingeführt. Die Mahd erfolgte weiterhin mit der Sense. Die Schnitter erhielten einen Teil der Ernte als Entlohnung. Dies sicherte einem großen Teil der Agrarbevölkerung das jährliche Brot. Der Drusch jedoch wurde von einem modernen Maschinenpark vorgenommen.

Eine alte Anschuldigung lautet, die Monarchie habe Ungarn zum Agrarexport verdammt, während die industrielle Entwicklung das Privileg Österreichs, Böhmens und Mährens geblieben sei. Das stimmt zum Teil. Allerdings sind die natürlichen Gegebenheiten in der Tat hier im Karpatenbecken am besten. Und bei angemessenen Tauschrelationen besitzt der Agrarüberschuß einen Wert, mit dem nur ein äußerst rentabler Industrieexport wetteifern kann. Und wenn wir den Weg des Getreides verfolgen, stoßen wir auf ein aufschlußreiches Beispiel. Zur Ausfuhr gelangte jahrhundertelang ungarisches Rohgetreide, während das Mehl vornehmlich für den Eigenbedarf in den auf der Donau schwimmenden Wassermühlen sowie in den vielen von Wasser, Wind und Tier betriebenen Mühlen gemahlen wurde. Ende des Jahrhunderts ermöglichten die Dampfmühlen aber schon einen beträchtlichen Mehlexport. Und der Maschinenbauzweig, der die Mühlenindustrie versorgte, entwickelte sich dank neuer Erfindungen – Walzstuhl, Flachsieb – zu einer wichtigen Exportbranche, die wiederum den Stahlgießereien Auftrieb gab.

Budapest baute – nach Londoner Muster – die erste

Untergrundbahn auf dem Kontinent. Die ungarische Elektroindustrie entwickelte sich zur Spitzenbranche und wurde zum Hauptlieferanten Südosteuropas. Es wurden Erfindungen gemacht wie der Transformator, sie gelangten auch rasch zur Anwendung. Während überall in der Welt Stromkraftwerke betrieben wurden, die nur ihren eigenen engen Bereich versorgten, gelang es zuerst in Ungarn, diese durch Fernleitungen zu verbinden. Dadurch konnten die Ungarn unterschiedliche Spitzenbelastungen sowie havariebedingte Ausfälle überbrücken.

Die Epoche, von der hier die Rede ist – und über die wir hier und da schon hinausgeschritten sind –, wird von zwei glanzvollen Ereignissen markiert. Die ungarische Königskrone gelangte erst 1867 auf die Häupter Franz Josephs I., der schon seit 1848 Kaiser, und Elisabeths, die seit 1854 Kaiserin war. Unter dem offenkundigen Einfluß Elisabeths erstattete Franz Joseph I. das bei diesem Anlaß übliche Krönungsgeschenk dem Spender, der ungarischen Nation, auf eine Weise zurück, daß daraus eine spektakuläre Geste der Aussöhnung wurde: Die Gabe ging an die Invaliden des Freiheitskampfes.

Die Zwiespältigkeiten dieser Epoche Ungarns sind in zahlreichen Werken behandelt worden – schließlich erhielt ja derjenige Kaiser und König die Krone, der in jungen Jahren für das Haynausche Blutbad die Verantwortung getragen hatte, der aber nun, obwohl er ein Habsburger war, das Versprechen einer Art nationalen Aufstiegs bot.

Im Jahr 1896 wurde die Tausendjahrfeier der Landnahme begangen. (Kossuths Gebeine ruhten bereits seit zwei Jahren in heimatlicher Erde.) Die Äußerlichkeiten waren glanzvoll; es funkelten und glitzerten nur so die ungarischen Galauniformen, Pantherfelle, Goldtressen, Tschakos, Helmbüsche, gespornten Stiefel, Ehrensäbel, an schweren Ketten baumelnden Orden. Unablässig dröhnte das Tschingderassa, loderte das Feuerwerk. Doch das getreueste Bild vom Charakter der Feierlichkeiten und der damaligen Atmosphäre vermittelt nicht einmal das Millenniumsdenkmal auf dem Budapester Heldenplatz, mit dessen Bau damals begonnen wurde und das heute noch zum größten Teil in seiner ursprünglichen Form zu sehen ist. (Aus der Statuengalerie wurden später die Habsburgerherrscher entfernt, um an ihre Stelle die ungarischen antihabsburgischen Freiheitskämpfer zu setzen.) Bezeichnender ist die hinter dem Denkmal befindliche Burg Vajdahunyad (heute Landwirtschaftsmuseum), ein seltsames „Neo"-Bauwerk, das einige Motive der bedeutendsten Denkmäler der ungarischen Architektur in sich vereint, die zwar in ihrer originalen Gestalt schön sind, hier aber durch ihr zusammengewürfeltes Beieinander und die Überladenheit der Details befremden. Aber als Beispiel können wir auch das neogotische Parlament nehmen, das am Pester Donauufer gegenüber der Budaer Burg liegt; heute würden wir auf seine vertrauten steinernen „Spitzenmuster" um keinen Preis verzichten wollen, obwohl der Historismus, den das Gebäude von außen und von innen verkörpert, der Geist, aus dem es erschaffen wurde, in unserer Zeit fragwürdig erscheint: Man erblickt den Stein gewordenen Mythos einer auffallend gepflegten Vergangenheit, die Illusion einer ruhmvollen Geschichte, die es in Wirklichkeit so nie gab. Wir haben es bereits geschrieben: Damals schwang sich der sagenumwobene Totemvogel der Ur-Ungarn, der stolze Turulvogel, wieder in die Lüfte.

Von Sarajewo bis Trianon

Doch zuvor noch der Weg von Mayerling bis Sarajewo . . . Nebenbei gesagt: Der Verfasser dieser Zeilen
würde sich nicht wundern, wenn einer die Geschichte
Ungarns so zusammenfaßte, daß er – angelangt in der
Mitte des 19. Jahrhunderts oder darüber hinaus – sich
noch die Hälfte des geplanten Umfangs aufsparte. Warum wohl? Unter dem Zwang der schnellebigeren Zeit?
Wegen der Häufung der Ereignisse? Oder weil die bis
dahin zu Fuß oder zu Pferd voranschreitende Geschichte auf die Dampflokomotive, auf das Flugzeug
umsteigt? Wächst die Menge der Quellen? Oder ist es
der Zauber zeitlicher Nähe, das Bewußtsein, daß unsere
unlängst verstorbenen oder vielleicht noch lebenden
Großväter an den Ereignissen teilnahmen, daß sich das
historische Geschehen unmittelbar auf unser eigenes
Schicksal auswirkt? Wir wollen dennoch versuchen, bei
unserer gerafften Darstellung und den gewohnten Relationen zu bleiben.

Vor der Jahrhundertwende war die Wirtschaft der
österreichisch-ungarischen Monarchie relativ stabil und
dynamisch. Ihre Währung war gesund, aber ihre politische Struktur schwankend, ihre Gesellschaft voller
Spannungen. Nicht einmal die bürgerliche Entwicklung
hatte sich voll entfalten können; dazu fehlte es an einer
ganzen Reihe von Freiheitsrechten und demokratischen
Verfahrensweisen. Doch in der Arbeiterbewegung mit
ihren viel weiter reichenden Zielsetzungen begann es
bereits zu gären. Hinter dem Gewirr unerfüllter natio-

naler Bestrebungen geisterte utopisch-anziehend die Idee des proletarischen Internationalismus.

Das Verhältnis zwischen den Ungarn und den der Monarchie angehörenden Nationalitäten des Karpatenbeckens war zu gleicher Zeit durch mehrere Sachverhalte gekennzeichnet: durch ein Nationalitätengesetz, das als gut bezeichnet werden kann; durch die Tatsache, daß der Emanzipation der Angehörigen der slawischen und anderer Minderheiten, darunter den Juden, weiter Spielraum gewährt wurde (indessen studierten viele der radikalsten Kämpfer für die Rechte der Nationalitäten in Budapest, sie lebten hier, und hier erwachte ihr Selbstbewußtsein, ihre Bewegungen schlugen hier zuerst Wurzeln, und hier gaben sie auch ihre Zeitungen heraus); schließlich sei der Umstand vermerkt, daß die tektonische Kraft, die die Monarchie zu zerreißen im Begriff war, aus diesen Verhältnissen erwuchs.

Eine eingehendere Untersuchung verdient jedoch ein Merkmal der wirschaftlichen Entwicklung: nämlich das, daß es trotz der großen Dynamik in der Monarchie vor allem im Karpatenbecken sowie in seinen Randgebieten einen wachsenden Überschuß an Menschen gab, die nicht beschäftigt werden konnten. Obwohl eines der Geheimnisse der Dynamik gerade die massenhafte, billige und anspruchslose Arbeitskraft war, bedeutete die hohe Arbeitslosigkeit – neben der raschen Vermögensbildung, dem protzigen Reichtum, dem verschwenderischen Verbrauch – eine schwer erträgliche Belastung. So geschah, was der proletarische Dichter Attila József später in die Worte faßte: „Und anderthalb Millionen unserer Leute sind weggetaumelt, nach Amerika gefahren." Von den amtlichen Stellen wurde dies stillschweigend geduldet oder gar – wider das Gesetz – begünstigt. Wir kennen die genauen Zahlen nicht. Das Ergebnis wäre jedoch sehr unterschiedlich, je nachdem ob wir nur die Ungarn berücksichtigen oder auch die anderen Nationalitäten, ob wir die aus dem alten ungarischen Reichsgebiet oder die aus dem nach 1920 festgelegten Landesterritorium Ausgewanderten in Rechnung stellen oder ob wir diejenigen abziehen, die später zurückkehrten. Der Verlust an Menschen ist in jedem Fall gewaltig. (Um dennoch einige Daten zu nennen: In den Jahren zwischen 1870 und dem Ersten Weltkrieg lag die Zahl der Auswanderer nach Amerika, von denen manche vielleicht zweimal den großen Teich überquerten, aufgrund heutiger Berechnungen bei wenigstens 1,2 bis 1,3 Millionen. Davon waren etwa ein Viertel oder ein Drittel Ungarn, die anderen gehörten verschiedenen Nationalitäten an; wenigstens ein Drittel von ihnen kehrte nach Ungarn zurück.)

Diese Massenauswanderung, die in den Vereinigten Staaten, in Kanada und in mehreren südamerikanischen Ländern zur Herausbildung ungarischer Siedlungen und Großstadtkolonien, zuweilen auch Gettos, führte (manche ihrer Bewohner eigneten sich nicht einmal nach Generationen die Landessprache an), wird bis heute weitgehend negativ eingeschätzt. Dabei gibt es kaum einen europäischen Staat, dem es auf der gleichen Stufe der wirtschaftlich-technischen und der demographischen Entwicklung nicht ebenso erging. Daß sich heute viele Länder der Dritten Welt in einer wirtschaftlichen Sackgasse befinden, liegt auch daran, daß es nirgendwo einen Wilden Westen, jungfräuliches Land, Pampas gibt, wohin der vorübergehende „Menschenüberschuß" auswandern könnte. Außerdem zieht Ungarn bis heute großen wirtschaftlichen und moralischen Nutzen daraus, daß die Ungarn, wohin sie auch immer in der Welt verschlagen werden, überall auf Landsleute stoßen, auf Verwandte, die ihr ungarisches Wesen oder das Bewußtsein ihrer Herkunft mehr oder weniger bewahrt haben. Und umgekehrt sind sie häufig zu Gast in der alten Heimat.

Betrachten wir nun die inneren Spannungen der Monarchie von einer ganz anderen Seite. Der einzige Knabe unter den vier Kindern der Königin Elisabeth, der unglückselige Kronprinz Rudolf, wurde 1858 geboren. Er geriet ganz und gar nach der Mutter, war leicht verletzbar, hatte ein labiles Nervenkostüm und intellektuelle Neigungen; er wollte sich emanzipieren, zählte Wissenschaftler zu seinen Freunden (darunter den vorzüglichen Zoologen Alfred Brehm). Der Hof stieß ihn ab, und auch der Vater mit seiner Kälte, seinem Dogmatismus und seinem bigotten Pflichtbewußtsein. Natürlich zwang man ihm eine Frau auf, mit der er nicht glücklich war. Er kannte die kleinen Liebesaffären seines Vaters, der mit der Schauspielerin Katharina Schratt, die ihm Elisabeth selbst als „Ersatz" empfohlen hatte, quasi eine Lebensgemeinschaft pflegte; und er wußte auch von einem anderen Nebenverhältnis, von dem die Nachwelt erst vor wenigen Jahren erfahren hat: von der anderthalb Jahrzehnte währenden Beziehung zur schönen Anna Nahowski, die in dieser Zeit, in Abwesenheit ihres Mannes, mehreren Kindern das Leben schenkte. Katharina und Anna: gemütliche Dummchen, häusliche Kleinbürgerinnen, sie bildeten einen diametralen Gegensatz zur subtilen, ja dekadenten Elisabeth. Aber was für eine Partnerin hätte Rudolf gebraucht? Mehrere gar? Neben seinen Flirts am Hof hielt er einer bekannten Wiener Prostituierten die Treue. Sie war eine berühmte, aber nicht gerade intellektuelle Kokotte. Und halbblind verfing er sich im Netz der kleinen Baronesse Mary Vetsera. Zur Zeit ihres kurzen, aber stürmischen Verhältnisses war er bereits eine gereifte Persönlichkeit, soweit sich das angesichts seines labilen Gemüts sagen läßt. Es gab nicht das leiseste Anzeichen, daß sein alternder, sich aber einer vorzüglichen Gesundheit erfreuender Vater den einzigen Sohn auch nur im geringsten an der Macht hätte beteiligen wollen. Gemessen am Rang des Kronprinzen wurden ihm drittklassige Verpflichtungen aufgetragen, denen er mißmutig nachkam. Lieber ging er auf die Jagd, verfolgte und förderte natur- und gesellschaftswissenschaftliche Forschungen. Außerdem publizierte er, schrieb Artikel. Unter einem Pseudonym. In der liberalen Oppositionspresse. War das etwa eine Ödipus-Rebellion gegen den Vater? Ein Oppositioneller Seiner Majestät innerhalb der eigenen Familie? Oder war es jugendlicher Mutwille? Vielleicht steckte doch etwas Ernsthafteres dahinter. Rudolf stellte sich die Zukunft der Monarchie in der Tat anders vor.

Nach mehrjährigem Zögern mußte nun auch sein Vater zulassen, daß ein Christlichsozialer namens Karl Lueger Bürgermeister von Wien wurde. Das war das Gebot der Stunde. Aber ansonsten! Zwar war Lueger ein sozialer Reformer, aber zugleich Katholik und Antisemit. Franz Joseph I. machte höchstens notgedrungen Zugeständnisse, Rudolf dagegen wollte vorwärtsschreiten – in Richtung mehr Demokratie . . .

Mayerling, Januar 1889. Gingen Baronesse Mary Vetsera und Rudolf freiwillig gemeinsam in den Tod? Das Geheimnis dieser Tragödie wird bis heute auf vielerlei Art zu deuten versucht. Es gibt tausend Versionen. Der einfachsten zufolge war es ein romantischer Liebestod. Doch die Mutmaßungen gehen sogar so weit, der Kaiser selbst habe den ihm verhaßten Sohn zusammen mit dessen Geliebter als politischen Rivalen umbringen lassen. Erwähnenswert ist noch die Annahme, der Tod der beiden sei das Werk eines deutschen Attentäters gewesen, eines Agenten Berlins. Rudolfs Preußenfeindlichkeit war allgemein bekannt.

Auch die Wahrheit, wie wir sie sehen, ist nicht gerade einfach, aber letztlich prosaisch. Rudolf, der schon seit langem Selbstmordabsichten hegte, erhielt vom Vater den unwiderruflichen Befehl, mit der Baronesse zu brechen. Für Rudolfs politische Ambitionen gab es keinen Raum und auch keine Basis im Volk. Sein Gemüt verdüsterte sich von Tag zu Tag. Die Syphilis, die auch ihn nicht verschont hatte, quälte ihn zunehmend. Der verbotene Eingriff bei Mary Vetsera, die nach nur wenigen intimen Begegnungen schwanger geworden war, wurde in einem Jagdschloß bei Wien von einer ungeschickten Hebamme durchgeführt. Um dem allmählich verblutenden Mädchen das Sterben zu erleichtern – so glauben wir – erschoß Rudolf noch am Abend das Mädchen und jagte sich beim Morgengrauen selbst eine Kugel durch den Kopf. Die Ungarn hielten den Kronprinzen für ihren Freund, sie trauerten um ihn wie um einen Märtyrer, romantische Legenden entstanden, die ihn als „guten Prinzen" priesen, der ins Verderben getrieben worden war.

September 1898. Luigi Lucheni, ein in Paris geborener italienischer Anarchist, Gastarbeiter in der Schweiz – allerdings war dieser Begriff damals noch unbekannt –, hielt zaudernd nach gekrönten Häuptern und ähnlichen Schmarotzern Ausschau, da er überzeugt war, daß sie getötet werden mußten. Bei seinem Amoklauf stieß er in Genf eine spitze Feile – zu einem Dolch reichte es bei ihm nicht – ausgerechnet der Königin Elisabeth ins Herz. Er traf die unschuldigste unter Europas gekrönten „Parasiten". Falls man sie gefragt hätte, wäre sie wahrscheinlich mit vielen anarchistischen Prinzipien des Attentäters einverstanden gewesen. Aber auch für Elisabeth war dieses Leben, das sie auf so absurde Weise verlor, schon seit langem eine Last, der Tod eine Erlösung.

Den verwaisten Platz Rudolfs nahm nun Erzherzog Franz Ferdinand, ein Vetter aus einer Seitenlinie, ein. Der neue Thronfolger war hochmütig, hatte große politische Ambitionen und war nicht gerade ein Zauderer. Obwohl er mit seiner morganatischen Ehe den Kaiser verletzt hatte – dieser revanchierte sich damit, daß er die Kinder Franz Ferdinands von der Thronfolge ausschloß –, gab es zwischen beiden viele verwandte Züge. Doch Franz Joseph I. wollte die Macht auch mit ihm nicht teilen. Lediglich in kleinen Dosen erweiterte er den Wirkungsbereich des Thronfolgers.

Durch die Okkupation Bosniens und der Herzegowina (1878), die auf Kosten der Türkei, des kranken Mannes am Bosporus, ging, zugleich aber gegen Serbien gerichtet war, spitzte sich die Situation auf dem Balkan merklich zu. Die Ungarn gerieten in eine heikle Situation. Zwar war die ungarische Wirtschaft der Nutznießer, aber besorgniserregend war die wachsende Zahl der Slawen in der Monarchie. Die militärische Aktion hatte Blut gefordert – allerdings eher das der Besetzten. Die ungarischen Soldaten verrichteten ihren Dienst in den Garnisonen der feindseligen, wilden Provinz im Süden noch lustloser als im polnischen Galizien. Das ist die ungarische Sicht der Dinge. Auf dem Balkan hingegen und auch anderswo stieß das gierige Expansionsstreben der Monarchie, die neuerliche Einverleibung slawischer Völkerschaften auf immer schärfere Ablehnung. Diese bezog sich auch auf die aktive Teilnahme der Ungarn und ihren Nutzgewinn.

Zu Hause schwand das Oppositionsethos eines Kossuth dahin, das bengalische Feuer der Tausendjahrfeier loderte auf, um rasch wieder zu erlöschen. Die beiden Söhne des Reichsverwesers kehrten aus der Verbannung zurück, doch der eine floh bald zurück nach Italien, um dort als Ingenieur zu wirken, während der andere, Ferenc Kossuth, eine führende politische Persönlichkeit hätte werden können, nur war er eben keine Persönlichkeit. Eine Reihe vorzüglicher Gesetze wurde verabschiedet, dem Anschein nach waren die paar Jahrzehnte nach dem Ausgleich wahrhaft ein neues Reformzeitalter: Es wurden massenhaft Zeitungen gedruckt, der Staat machte eine Säkularisierung durch, die Volksbildung wurde weltlicher und praktischer. Die Gleichstellung der Bürger vor dem Gesetz hatte sich gefestigt; allerdings erreichte nur ein Bruchteil der Bevölkerung bürgerlichen Status. Das Ausmaß des Parlamentarismus war ähnlich wie in Westeuropa. Doch nur mit einem moderneren Wahlrecht hätte er sich mit echtem Inhalt füllen lassen. In dieser Frage – dergleichen hatte es schon gegeben – wollte Wien größere Zugeständnisse machen, als die ungarische Führungsschicht akzeptierte. Wien versuchte es entweder mit einer Militärregierung, wodurch das Gespenst der Ära Bach heraufbeschworen wurde, und zwar auf beiden Seiten: auch durch Wiedererwachen der passiven Resistenz. Oder aber Wien gab wieder der Verfassungsmäßigkeit den Vorzug.

Der Mangel an Grund und Boden sowie der Umstand, daß auch die erst jüngst entwässerten und urbar gemachten Flächen in die Hände der seit jeher Besitzenden gelangten, die den größten Nutzen aus der Konjunktur für agrarische Produkte zogen, rief die agrarsozialistische Bewegung auf den Plan. Die gierige Industrie schuf den Nährboden für die Arbeiterbewegung, die von Leo Frankel organisiert wurde, der 1871 einer der Führer der Pariser Kommune gewesen und nach deren Niederwerfung in die Heimat zurückgekehrt war.

Um die Jahrhundertwende erschien endlich wieder eine politische Persönlichkeit von größerem Format:

Graf István Tisza. Allerdings kam er aus dem konservativen Lager. Seine energische Politik, mit schlauem Ränkespiel verknüpft, ließ sich zum Teil damit rechtfertigen, daß nach der Tausendjahrfeier im ungarischen Parlament der Wettstreit von Ideen, Prinzipien und Programmen von einem blindwütigen politischen Dschungelkrieg abgelöst worden war. Die Abgeordneten entdeckten die Obstruktion und entwickelten sie zur Meisterschaft: die Behinderung der Beschlußfassung durch Herunterleiern endloser Reden, häufige namentliche Abstimmungen usw. Der noch kaum ausgereifte bürgerliche Staatsmechanismus wurde damit funktionsunfähig gemacht.

Dies geschah zu der Zeit, als Franz Joseph I. mit dem beutegierigen deutschen Kaiserreich ein Bündnis einging, das ihm wachsende Verpflichtungen auferlegte. Die Demütigungen des noch nicht lange zurückliegenden preußisch-österreichichen Krieges schienen ebenso vergessen wie der Umstand, daß 1849 das zaristische Rußland den habsburgischen Thron gerettet hatte. Für die Entwicklung der Armee war das Verhältnis zwischen Österreich und Ungarn, das im Jahr 1905 einen neuen Tiefpunkt erreichte, von entscheidender Bedeutung. Im folgenden knappen Jahrzehnt, das von heftigen inneren Kämpfen und jähen Wendungen gekennzeichnet war, schlossen Wien und Budapest viele Kompromisse, um den Dualismus funktionstüchtig zu erhalten. In Fragen der Armee aber machte Wien die wenigsten Zugeständnisse.

Dennoch gab es auch in der österreichischen Militärführung nach 1910 einen Flügel, der erkannte, daß die Monarchie für einen bevorstehenden militärischen Konflikt größeren Ausmaßes ungenügend gerüstet war. Vielleicht war das der Hintergrund der Affäre Redl. War der im Jahr 1913 „entlarvte" und zum Selbstmord gezwungene Chef des k. u. k. Kundschaftsdienstes gar kein Vaterlandsverräter, sondern ein nüchterner Skeptiker? Unter den führenden ungarischen Politikern erkannte die Gefahren eines baldigen Kriegsbeginns vielleicht gerade jener Mann am klarsten, der so viel für die Festigung der zerfallenden Monarchie getan hatte: István Tisza, der damals zum zweitenmal das Amt des ungarischen Ministerpräsidenten innehatte. Der größte ungarische Dichter um die Jahrhundertwende, Endre Ady, haßte Tisza deshalb so maßlos, weil er in ihm unter vielen kleinkarierten Politikern den einzigen wahren Gegner sah, der weitsichtig und energisch genug war, um außerordentliche Verantwortung für die Geschicke des Landes zu tragen. Doch durch seine Weigerung vermochte Tisza den Eintritt in den Krieg nur um zwei Wochen zu verzögern.

Die Truppenübungen an der Südgrenze, die im Juni 1914 in Anwesenheit des Thronfolgers Franz Ferdinand abgehalten wurden, waren überaus provokativ. Es war ein großer Zufall, daß das auf ihn verübte, halbdilettantische Attentat im zweiten Anlauf gelang und auch die Herzogin von Hohenberg zusammen mit ihrem Mann den Tod fand. Doch die Pistolenschüsse des serbischen Studenten Gavrilo Princip in Sarajewo beschleunigten höchstens die Ereignisse, sie waren keineswegs die Ursache.

Es ist nicht unsere Aufgabe, die Ereignisse der folgenden vier Jahre im einzelnen zu beleuchten. Den Ersten Weltkrieg mag man beurteilen, wie man will. Nahezu ganz Europa und viele andere Mächte nahmen daran teil, so daß die Bilder, die man von diesem Krieg zeichnet, so vielfältig sind wie die Teilnehmer. Trotz aller Prämissen, die eigentlich nichts Gutes ahnen ließen, wurde die Mehrheit der ungarischen Öffentlichkeit von kriegerischer Stimmung, ja von Kriegshysterie erfaßt.

Man schenkte der Behauptung Glauben, die ungarischen Truppen würden siegreich heimkehren, wenn das Laub von den Bäumen falle, Hunderttausende sangen: „Wartet nur, wartet, ihr serbischen Hunde!"

Das Kriegsgeschehen war aufreibend und wechselhaft, immer wieder kam es zum Stellungskrieg. Auf seiten der Monarchie wies die Kriegführung vornehmlich zu Anfang schwere Fehler auf. Franz Joseph I., der angeblich „alles erwogen, alles überdacht" hatte (überall in der Monarchie wurde ein jüngst gemaltes Porträt verbreitet, das ihn tief in Gedanken versunken zeigt, sein majestätisches Haupt in die Hand gestützt), wählte die wichtigsten Befehlshaber nach der Prestige-Rangordnung und nach subjektiver Sympathie. Der farblose Kaiser-Bürokrat hatte für Talente überhaupt kein Gespür. Die Verluste an Menschen waren den ganzen Krieg über gewaltig. Es gereicht den Ungarn zum traurigen Ruhm, daß sie sich in den blutigen Kämpfen durch militärische Tugenden und persönliche Kühnheit hervortaten. Das gilt übrigens auch für die Männer des kurz davor annektierten Bosniens.

Am schmerzlichsten eingeprägt haben sich dem ungarischen Gedächtnis die fatalen Umstände und die schweren Verluste der Schlachten an den russischen Fronten, des Kampfes um die Festung Przemyśl in Galizien, der alles niederwalzenden Brussilow-Offensive. des Blutbades am Isonzo, in einer italienisch-slowenischen Karstlandschaft. Eingegraben in der Erinnerung von Generationen sind die Schauplätze und die brutalen Vorgänge: die Bajonettattacken im südpolnischen Gorlice, die Belagerung von Przemyśl, der grauenvolle Stellungskrieg in der Karstlandschaft des damals italienischen, heute jugoslawischen Doberdo, wo die einschlagenden Kugeln durch die Steinsplitter noch gefährlicher wurden. Von den vielfältigen Konsequenzen des Ersten

Weltkrieges wollen wir, ohne Rangfolge, vier hervorheben.

1. Die Monarchie zerfällt. Ungarn wird selbständig, und Polen ersteht von neuem, während im Halbkreis drei Nachfolgestaaten gegründet werden: die Tschechoslowakei, Rumänien und Jugoslawien, die in ihrer neuen Form keine oder nur zum Teil eine historische Präzedenz haben.

2. Mit der Leninschen Revolution in Rußland beginnt – nach so vielen utopischen Plänen – der Kommunismus, reale Gestalt anzunehmen.

3. Die Vereinigten Staaten übernehmen Verpflichtungen in Europa. Dies wird zu einem wesentlichen Machtfaktor in der Weltpolitik.

4. Die Ungereimtheiten und übertriebenen Forderungen der Friedensverträge, die den Krieg abschließen, säen den Samen für den Zweiten Weltkrieg.

Die unheilverkündenden Prophetien waren vergebens, Ungarn hatte zu spät erkannt, welche enorme Kraft und Tiefe die Bestrebungen der Nationalitäten besaßen. Als dann im Jahr 1920 unweit von Paris in Trianon nach langwierigen, aber einseitigen Debatten die Grenzen Ungarns festgeschrieben wurden, schrumpfte das Territorium des Landes auf ein Drittel, die Bevölkerung auf zwei Fünftel. Dabei erfüllten die Ententemächte nicht einmal die extremsten Vorschläge und Wünsche. Die Rumänen, die ganz Siebenbürgen erhalten hatten, wären gern weiter nach Westen, bis zur Theiß, vorgedrungen. Einige tschechische und slowakische Politiker verlangten einen Korridor entlang der österreichisch-ungarischen Grenze, der das westliche Transdanubien und Slowenien bis zur Adria durchqueren sollte, um der Tschechoslowakei einen Hafen zu verschaffen. Jugoslawien, das aus südslawischen Völkern gebildet wurde, wollte wenn auch nicht Szegedin, so doch Fünfkirchen und Umgebung unbedingt für sich haben. Zu diesem Zweck gründete es die kurzlebige Republik Baranya.

Und was geschah mit den Ungarn? Und warum konnte alles so geschehen, wie es geschah?

Rot und Weiß

Unverdienterweise vergönnte es das Schicksal Franz Joseph I., daß ihn nicht die Trümmer der Monarchie unter sich begruben. Schon im Jahr 1916 zog er zu Sohn und Gemahlin in die Wiener Kapuzinergruft. Seinen dritten Thronfolger, einen Großneffen (als Kaiser von Österreich Karl I., als König von Ungarn Karl IV.), überlebte er nicht. Doch dies hatte kaum noch Bedeutung. Auch wenn der Nachfolger ein Genie gewesen wäre – was er freilich nicht war –, die Habsburger hatte man allenthalben gründlich satt. Einen Herrscher benötigte man in diesen Breitengraden nur dort – wie in Rumänien und Jugoslawien –, wo man innerhalb der neuen Staatsgrenzen das Bedürfnis für dieses traditionelle Requisit nationaler Legitimität verspürte, wohl aus dem Grund, weil man von einer Nation noch kaum sprechen konnte, da sie sich erst herausbilden mußte.

Der verlorene Krieg hatte so gewaltige Opfer an Menschen und Gütern gefordert, daß er nicht nur für das Staatssystem, sondern auch für die Gesellschaft eine Niederlage darstellte. Naturgemäß setzte eine revolutionäre Woge ein. (Eines ihrer ersten Opfer war Graf István Tisza, er wurde von Attentätern erschossen.) Nichtsdestotrotz, während der Revolution in Ungarn wurde eine gewisse Ordnung aufrechterhalten, zumindest insoweit, daß sie am Anfang (Oktober 1918) eine „nur" bürgerlich-demokratische war. Ihr Führer, Graf Mihály Károlyi, entstammte jener Familie, die wir aus dem Jahr 1711 kennen. Er war ein liberaler Aristokrat, der alsbald seine Latifundien unter den besitzlosen

DEMARKATIONSLINIEN, NEUTRALE ZONEN
(NOVEMBER 1918–MÄRZ 1919)

im Waffenstillstand von Belgrad festgelegte Demarkationslinie (13. November)

provisorische Demarkationslinie (6. Dezember)

in der Entente-Note festgelegte Demarkationslinie (23. Dezember)

in der Vereinbarung mit den Franzosen geplante neutrale Zone (31. Dezember)

äußerste Linie, die von Militäreinheiten der Westukrainischen Republik erreicht wurde (Mitte Januar)

in der Vyx-Note vorgeschlagene neutrale Zone (20. März)

zur Trennung der jugoslawischen und der rumänischen Armee festgelegte neutrale Zone (10. Januar)

von rumänischen Truppen erreichte und bis zum 16. April gehaltene Linie

Bauern aufteilte. Im Inland war das Vertrauen in die Regierung Károlyi zwar nicht gering, doch stand sie vor gigantischen Aufgaben. Von den aufgelösten Fronten strömten die zerlumpten, verbitterten Soldaten nach Hause, wo sie eine Welt des Elends vorfanden. Fast jede Familie trauerte um einen Gefallenen oder wartete auf die Rückkehr eines Kriegsgefangenen. Von den letzteren hatten viele in Rußland die Atmosphäre und das Tempo der radikalen Umwälzungen miterlebt. Tausende und Abertausende blieben sogar dort und traten als Freiwillige in die Rote Armee des jungen Sowjetstaates ein, um im Bürgerkrieg mitzukämpfen.

Károlyi wollte den Weg der Demokratie und der Verfassung gehen. Für den Posten des „Konkursverwalters", den er an der Spitze des Landes zwangsweise übernehmen mußte, war er jedoch nicht energisch genug. Zwar initiierte er noch die Ausrufung der Republik und wurde selber im Januar 1919 deren Präsident. Doch bald drangen die Truppen der „Nachfolgestaaten", obwohl es noch keinen Friedensvertrag gab, bis zu jenen Demarkationslinien vor, die später in Trianon im wesentlichen gebilligt werden sollten. Sogar noch weiter marschierten diese Truppen. Die Beauftragten der Entente sowie deren ferne Regierungen gingen energisch vor – und zwar gegen die Ungarn, die für sie eindeutig die Verlierer waren und von denen sie nicht glaubten, daß sie nach dem Erlangen der Unabhängigkeit zu einer echten Erneuerung, zum Bruch mit der düsteren Vergangenheit der österreichisch-ungarischen Monarchie imstande sein würden. Andererseits zeigte sich die Entente wenig energisch – gegenüber den Staaten der späteren Kleinen Entente. (Eine Ausnahme machte die Entente, als sich im Süden, in der Batschka, Rumänen und Serben wegen eines umstrittenen – bis dahin ungarischen – Landstreifens in die Haare gerieten. Da wurden

Rumänen und Serben von den französischen Streitkräften voneinander getrennt. Die Sache endete damit, daß Szegedin und Umgebung von französischen Kolonialtruppen, von senegalesischen Soldaten, besetzt wurde. . .)

Károlyis Regierung wurde durch den wachsenden Druck der Linken und die drohenden, bald auch eintretenden Gebietsverluste aufgerieben. Die von Béla Kun geführten Kommunisten zwangen Károlyi, nachdem sie sich mit den Sozialdemokraten vereinigt hatten, zum Rücktritt. Durch eine Machtübernahme ohne Blutvergießen entstand im März 1919 die ungarische Räterepublik. Sie sollte sich 133 Tage halten.

Heute kann man schon kühl analysieren, welche objektiven und subjektiven Fehler Béla Kun beging. Dieser ungarische Kommunist – der später in Moskau einer der Führer der Komintern wurde, sich nur schwer mit der Volksfrontidee aussöhnte und schließlich den Stalinschen Massakern zum Opfer fiel – hatte erfolgreich die ungarische Räterepublik gebildet, die sich so schwungvoll in die Bewegung der Weltrevolution einreihte, die der Krieg erzeugt hatte und die damals soviel weiter ausdehnbar erschien. Welche Fehler also beging Kun? Statt Landverteilung wurde verstaatlicht. Die Versorgung der Stadtbevölkerung erhielt Vorrang. Die Requirierung von Lebensmitteln war gang und gäbe; dadurch wurden die Bauern dem neuen System entfremdet. Bei der Abwehr oppositioneller, gegenrevolutionärer Aktionen fehlte es an Konsequenz. Großzügigkeit, die die Glaubwürdigkeit der Revolution schmälerte, wechselte mit drastischen Maßnahmen, die die Mittelschichten abschreckten. Nun, all das ist wahr. Allein, davon hing das Schicksal der ungarischen Räterepublik nicht ab. Sie hatte damals, unter den gegebenen Umständen, keine Chance. Sie war chancenlos von dem

Augenblick an, als sich herausstellte, daß der erhoffte rasche weltrevolutionäre Prozeß gleich am Anfang ins Stocken kam und die sowjetische Rote Armee nicht imstande war, über die Karpaten vorzudringen, um die von Béla Kun erbetene Hilfe zu leisten. (Der dritte Versuch einer Räteherrschaft, in München, war noch aussichtsloser als der ungarische.)

Der Anfang war jedoch vielversprechend. In wenigen Tagen entstand eine rote Streitmacht. Junge Arbeiter, die dem Ruf zu den Waffen gefolgt waren, kämpften Schulter an Schulter mit den heimgekehrten Frontsoldaten – Berufssoldaten, Reservisten und Veteranen –, die unter welcher Fahne auch immer für die territoriale Integrität des Landes kämpften: im Osten gegen die rumänischen, im Norden gegen die tschechischen Interventionstruppen. Die zwei hervorragenden Führer dieser Streitmacht waren der sozialistische, später kommunistische Anwalt Jenő Landler, ein früherer Antimilitarist und Anführer von Streiks, sowie Aurél Stromfeld, einer aus der Elite des Generalstabs der k. u. k. Armee. Doch was sie auch mit den Waffen erreichten, das nahm ihnen nach und nach wieder die Entente, die Kun und seinen Genossen noch weniger vertraute als der Regierung Károlyi.

In Wien formierte sich, in Szegedin versammelte sich ein wachsender Kreis von Politikern und Militärs, für die nicht Rot, sondern Weiß die ungarische Farbe der Zukunft war. Die Entente betrachtete auch sie mit Mißtrauen, aber bei weitem als das geringere Übel. Eine konservative, vielleicht ein wenig liberale Restauration, aber unbedingt ohne die Habsburger – dies war in den maßgebenden politischen Kreisen Frankreichs, Großbritanniens und Italiens viel eher zu akzeptieren als das „Experiment" eines Arbeiterstaates.

Was Károlyi zur Kapitulation gegenüber den Kommunisten gezwungen hatte, das riß auch Kun in die Tiefe. Es gab keine Kraft, die imstande gewesen wäre, den bereits erfolgten und den noch drohenden Gebietsverlust für die ungarische Öffentlichkeit akzeptabel zu machen. Im August 1919 wurde – für einige Tage – eine sozialdemokratische Regierung gebildet. Eine größere Gruppe von Führern der Räterepublik floh mit dem Zug nach Wien.

In Szegedin wurden bald Sonderkommandos von Offizieren und Unteroffizieren gebildet, deren Mützen mit Kranichfedern geschmückt waren. In zwei getrennten Kolonnen marschierten sie auf Budapest zu, das im Auftrag der Entente von rumänischen Truppen besetzt war. Die Vergeltung, mit der schon das Militär des neuen, königlichen Rumänien begonnen hatte, fand eine brutale Fortsetzung. Den Weg der Sonderkommandos in die „verruchte Hauptstadt", in die Brutstätte des ungarischen Kommunismus, markierten Hinrichtungen, Folterungen, Drangsalierungen und Judenpogrome. Der revolutionäre Terror wurde vom gegenrevolutionären Terror hinsichtlich der Zahl der Opfer sowie an Grausamkeit weit übertroffen.

Die graue Eminenz der weißen Wende war Graf István Bethlen, ein Großgrundbesitzer aus Siebenbürgen. Doch als Führer benötigte man einen Soldaten. Wieso trat aber unter den vielen hochrangigen Offizieren gerade ein Mann der Flotte an die Spitze? Es war Konteradmiral Miklós Horthy von Nagybánya, langjähriger Flügeladjutant Franz Josephs I. und gegen Ende des Krieges Oberbefehlshaber der österreichisch-ungarischen Kriegsflotte. Unter den in Szegedin versammelten Offizieren war er der Rangälteste. Gegen die Matrosenrevolte in Cattaro im Jahr 1918 war er energisch aufgetreten. Der Sproß einer altungarischen Grundbesitzerfamilie konnte sich im übrigen keiner besonderen

Fähigkeiten rühmen, sprach nur schlecht Ungarisch und gehörte der Reformierten Kirche an. . . Wenn er wenigstens auf einem Donau-Monitor in der Hauptstadt eingetroffen wäre. Doch nein, er zog auf einem weißen Pferd, in dunkelblauer Marineuniform an der Spitze seiner Truppe in Budapest ein. Nunmehr, im November 1919, nahm eine Epoche ihren Anfang, in der Ungarn ein Königreich ohne König und der Reichsverweser ein Admiral war, obwohl das Land keinen Zugang zum Meer hatte. Doch die Entente akzeptierte diesen merkwürdigen Zustand, ja unterstützte ihn sogar. Sie zog die Truppen der Kleinen Entente und ihre eigenen ab, freilich nur aus den Gebieten, die Ungarn nach Trianon verblieben waren. Es kam also zu keiner weiteren Verstümmelung des Landes, und die nationale Souveränität wurde wiederhergestellt, wenngleich sie etwas beschränkt blieb.

Beim Betrachten der neuen Grenzen fällt vor allem zweierlei auf:

1. Millionen Ungarn verbleiben außerhalb der Landesgrenzen. Ein Teil von ihnen lebt untrennbar vermischt mit anderen Nationalitäten. Doch unmittelbar jenseits der Grenzen liegen Gebiete, die ganz oder fast ganz von Ungarn besiedelt sind. Wären sie bei Ungarn verblieben, hätte dies nur eine kleine Zahl von Nichtungarn betroffen.

2. Die neue Grenze zerteilt etliche Regionen und macht sie lebensunfähig. Zahlreiche an der Grenze gelegene ungarische Städte und noch mehr jene, die an die Nachfolgestaaten fallen, verlieren einen großen Teil ihres natürlichen Hinterlandes und ihrer ökonomischen und demographischen Basis. Dadurch werden sie zur Auszehrung oder zu forcierten und kostspieligen Investitionen verurteilt. Ferner verlaufen mehrere Eisenbahnstrecken nur einen Steinwurf weit von der ungari-

schen Grenze und gehen für Ungarn verloren, aber sie können auch in den Nachfolgestaaten kaum richtig ausgelastet werden.

Zwar bezog Karl Marx die Bezeichnung „Völkerkerker" auf das zaristische Rußland, aber auch die österreichisch-ungarische Monarchie wurde so genannt. Mitunter verdiente sie diesen Namen auch. Was jedoch an ihre Stelle trat, war eine Art Völkermiethaus. Eine Behelfswohnung, die mit Verständnis und Kompromissen gar komfortabel hätte eingerichtet werden können. Aber die ehemaligen „Kerkerinsassen" vernichteten zähnefletschend die Einrichtungen, die allen nützlich gewesen wären, nur damit der andere nichts davon haben sollte. Die Folgen waren katastrophal. Die Feindschaft auf den Trümmern der Monarchie, Mißtrauen und Haß zerstörten die menschlichen Kontakte und blockierten die einfachsten regionalen Beziehungen in Wirtschaft, Verkehrs- und Gesundheitswesen. Jeder kleine Staat im östlichen Mitteleuropa strebte nach Autarkie bzw. war auf entfernte und teurere Märkte angewiesen. (Deshalb brach etwa die ungarische Mühlenindustrie zusammen.) Dabei hätten die Produktionsstrukturen einander gut ergänzt. Das war ja schließlich die ökonomische Grundlage dafür gewesen, daß die ansonsten so heterogene Monarchie irgendwie hatte zusammengehalten werden können.

Dies ist keine Entschuldigung, aber eine Erklärung dafür, daß im Vierteljahrhundert der Ära Horthy die Forderung nach Vergrößerung des Landes, nach Revision der Grenzen die wichtigste, mitunter die einzige Losung war. Das Wort ging um: „Rumpf-Ungarn ist kein Reich, ganz Ungarn das Himmelreich." Wenn es besser gelungen wäre, die Staatsgrenzen mit den tatsächlichen ethnischen Grenzen in Einklang zu bringen, wer hätte schon auf jene ungarischen Großgrundbesitzer gehört, auf deren im fremden Staat verbliebenen Latifundien lauter nichtungarische Knechte arbeiteten? Wegen der völlig widersinnigen Grenzziehung aber fühlte sich die ganze Nation ungerecht behandelt. Obendrein wurde die mißliche Stimmung von Umsiedlern – vornehmlich ehemaligen Staatsbeamten und Angehörigen anderer Mittelschichten – angeheizt. Sie mußten jahrelang in Eisenbahnwaggons auf Nebengleisen wohnen.

Horthy und seine weiße Streitmacht bemühten sich von Anfang an um die Revision der Grenzen. Den einzigen, kleinen Erfolg erreichten sie im Westen. Dort war die Stadt Ödenburg samt Umgebung dem österreichischen Burgenland zugeschlagen worden. Durch einen guerillaartigen Überfall wurde die schwache österreichische Besatzung in die Flucht geschlagen. Später gelang es, eine Volksabstimmung über das Schicksal des Gebietes zu erzwingen. So blieb denn Ödenburg ungarisch und erhielt den Namen „Stadt der Treue". Diese Aktion verdient unser Interesse nicht so sehr wegen ihres Erfolges, als vielmehr darum, weil sie plastisch zeigt, wie sehr der Frieden nicht die künftige politische Sicherheit begründete, sondern im Zeichen der Vergeltung stand. Und wie sah diese Vergeltung aus! Die nicht geringe Verantwortung Ungarns für den Ersten Weltkrieg wird nicht verwischt, wenn wir es lächerlich finden, daß man das Territorium des einstigen Ungarns sogar zugunsten Österreichs beschnitten hat. Obwohl ein großer Anteil der Bevölkerung Ödenburgs und seiner Umgebung deutschsprachig war, bildeten die Deutschen keineswegs die Mehrheit. Und bei der Volksabstimmung votierte sogar ein Teil von ihnen für den Verbleib bei Ungarn.

Horthy mußte lavieren. Seine Sonderkommandos, die ihn mit starker, aber blutiger Hand an die Macht gebracht hatten, wuchsen ihm über den Kopf. Ihre Gewalttätigkeit und Eigenmächtigkeit wirkte kompromittierend in den Augen der Entente, der europäischen Bankiers sowie auch der ungarischen Bürger und Kapitalisten, ohne die eine Konsolidierung im Land unvorstellbar war. Horthy war Soldat. Aber er wollte die Macht nicht mit einer Junta teilen. Auch nicht mit einem König. Scheinbar blieb er seinem Eid, der ihn an den Thron der Habsburger band, treu. Dies behauptete er unaufhörlich und bewies es, indem er die Institution des Königtums gesetzlich wiederherstellte. Aber warum tat er nicht den nächsten Schritt? Ein beträchtlicher Teil seiner militärischen und politischen Anhänger bestand darauf, und zwar in einem Maß, daß der vom österreichischen Thron vertriebene und in die Schweiz geflüchtete Karl IV., dem Ruf der ungarischen Legitimisten folgend und mit ihrer Hilfe, sogar zweimal ins Land kam, um seinen Thron in Besitz zu nehmen. Sein zweiter Versuch ist auch deshalb bemerkenswert, weil dabei vielleicht zum erstenmal in der Welt ein Flugzeug entführt wurde. Die Getreuen des Exkönigs, ehemalige Fliegeroffiziere, entwendeten ein Flugzeug und beförderten den Habsburger aus der Schweiz auf ungarischen Boden. Für die damalige Zeit eine bravouröse Leistung.

Karl IV. stieß an der Spitze einer Schar, die sich ihm in Transdanubien anschloß, bis an den Stadtrand von Budapest vor, wo ihn Horthy mit einer kleinen Truppe aufhielt, die sich zum Teil aus eilends bewaffneten Studenten rekrutierte. Auch die Entente stellte sich eindeutig hinter Horthy. Der gefangengenommene Karl IV. wurde von einem englischen Kriegsschiff, das die Donau heraufkam, an Bord genommen und in die Verbannung auf die Insel Madeira gebracht. (Dort starb er bald. Sein Sohn Otto ist heute Abgeordneter des Freistaates Bayern im Europaparlament.)

Schließlich galt es, das Ausland zu beschwichtigen und im Land die Inflation zu dämpfen. Zum Vater der Konsolidierung wurde der besonnene Graf István Bethlen. Das Amt des Ministerpräsidenten übernahm aber zunächst Graf Pál Teleki – ebenfalls ein Großgrundbesitzer aus Siebenbürgen, der übrigens ein namhafter Geograph war, vornehmlich ein Experte für ethnische und ökonomische Geographie. Als solcher nahm er offiziell an der Festlegung der ersten Staatsgrenzen des neuzeitlichen Iraks in den Jahren 1924/25 teil. Später wurde Bethlen Regierungschef.

Mitte der zwanziger Jahre war Ungarn ein relativ friedlicher bürgerlicher Staat mit einem funktionstüchtigen Parlament. Im Untergrund jedoch arbeitete die Kommunistische Partei. Die Sozialdemokraten verzichteten, um in den Städten unter den Arbeitern wirken zu können, in einer Vereinbarung auf die Agitation unter den Agrarproletariern, die die Mehrheit der Landbevölkerung ausmachten. Das ungarische Gesellschaftssystem wies viele veraltete Requisiten und irritierende Züge auf. Das störte zwar, verhinderte aber nicht eine gewisse Modernisierung im konservativ-liberalen Geist. Volksbildung und Gesundheitswesen entwickelten sich. Auf dem Land wurden viele Berufslehrgänge abgehalten. Unter dem Namen „Hangya" (Ameise) entstand ein Netz von Verkaufsgenossenschaften.

In der Todesschleife

Quo vadis? Wohin gehst du? Das Horthy-Regime, mag es noch so seltsam klingen, bewegte sich zwischen 1920 und 1930 nach links. Allerdings nicht aus Prinzip oder Sympathie, sondern unter Zwang. Es hatte von so weit rechts begonnen, daß ihm nichts weiter übrigblieb. Außerdem besaß es ein vitales Interesse an der Konsolidierung, die den Terror ablöste. Horthy und seinen Anhang plagte übrigens ständig ein Minderwertigkeitsgefühl, da nicht sie die gehaßte Räterepublik niedergeschlagen hatten. Sie waren keine Sieger, höchstens Rächer und Nutznießer. Ihr Weg wurde von der Entente zwar nicht Punkt für Punkt vorbestimmt, aber immerhin freigemacht. Zugleich zog die Entente dem Horthy-Regime für lange Zeit Grenzen.

Danach folgte die Weltwirtschaftskrise. Sie erschütterte auch die höchstentwickelten Staaten, sprengte Banken, zerstörte die Börsen, stieß Hunderte Millionen in Arbeitslosigkeit und Elend, während die Lokomotiven mit Getreide und Kaffee geheizt wurden. Und sie verhalf in Deutschland Hitler zur Macht. Natürlich wurde auch Ungarn nicht verschont, aber als weniger entwickeltes Land erst später von der Depression erfaßt. Doch dann beendete die Krise bald die Prosperität, die nach nur wenigen Jahren der Stabilisierung eben erst eingesetzt hatte. Die sich neu formierende ungarische Industrie wurde zurückgeworfen. Da sie sich auf Friedensproduktion umgestellt hatte und vorwiegend Verbrauchsgüter erzeugte, hing sie weitgehend von der Nachfrage der Bevölkerung ab. Nicht zum ersten und auch nicht zum letzten Mal erstickte die ungarische Landwirtschaft in der Überproduktion.

Die Krise war noch nicht zu Ende, sie war erst im Abklingen, als Bethlen durch den rechtsgerichteten Offizier Gyula Gömbös verdrängt wurde. Mit ihm gewann unverkennbar der Faschismus an Boden. Deutliche Zeichen dafür waren: die korporativen Bestrebungen, die soziale Demagogie, die sich auch manche Argumente und Zielsetzungen der Linken aneignete, der Rassenmythos, die brutale Gewalt, die Freundschaft mit Italien und Deutschland, die Anbiederung bei Mussolini und Hitler. Das Pendel schlug, nachdem es sich unter dem Zwang der Konsolidierung notgedrungen und verhalten nach links bewegt hatte, nach rechts aus. Als die Krise in Ungarn abgeklungen war, wurde die neue Konjunktur von der Hoffnung auf Krieg genährt. Im Zentrum eines Gebietes entlang der Donau, das mit einiger Verstiegenheit zum ungarischen Ruhrgebiet ausgebaut werden sollte, verkündete der neue Ministerpräsident Kálmán Darányi das Győrer Programm. In seinem Mittelpunkt stand die Schwerindustrie, die der lange Zeit durch Entente-Verbote gebremsten Wiederaufrüstung diente. Doch mangels Zeit und Kapital konnte dieses Vorhaben nur teilweise realisiert werden. (Das zeigte sich später in der dürftigen Ausrüstung, mit der die ungarische Armee am Zweiten Weltkrieg teilnahm.) Hingegen eröffnete sich für die ungarischen Agrarprodukte in Hitlerdeutschland ein unbegrenzter Exportmarkt.

Einige kleinere Maßnahmen wurden ergriffen: eine vorsichtige partielle Bodenreform, soziale Aktionen. Die Armen im Dorf konnten mitunter eine Parzelle oder ein billiges Heim erwerben. Die Beamten und Teile der Arbeiterschaft erhielten Sozialversicherung. Aber großangelegte, das ganze Land einbeziehende Vorstellungen zur Entwicklung der Wirtschaft, zumal der Gesellschaft, wurden nicht geboren. Allenthalben berief man sich auf Trianon, als wäre es die teuflische Ursache aller ungarischen Sorgen. Seine Revision verhieß die Lösung aller Probleme – wie durch einen Zauberstab. Danach bliebe nur noch eins zu tun: die Ungarn vor der Ausbreitung der Assimilierten, der zugewanderten artfremden – besonders jüdischen – Elemente zu schützen. Man verschloß die Augen davor, was Hitler offen auf den Seiten des auch in manchen ungarischen Buchläden erhältlichen Buches „Mein Kampf" verkündete, und übersah, mit welcher Gier der braune „Volksbund" seine Hände nach den ungarischen Deutschen ausstreckte. So gab man sich der Illusion hin, daß im Schatten Deutschlands die ungarische Zukunft aufkeimen könnte.

Eine Ernüchterung brachte auch der Anschluß nicht, der die staatliche Existenz des einstigen Partners Österreich liquidierte, und auch nicht der erste „Blitzkrieg" der Nationalsozialisten im Herbst 1939, als aus dem zerschlagenen Polen viele Zehntausende über die Karpaten nach Ungarn flohen und zum Teil von hier weiterzogen. Die Solidarität, die von der historischen polnisch-ungarischen Freundschaft gespeist wurde, war kein Strohfeuer. Trotz der deutschen Proteste befanden sich die in Ungarn verbliebenen Polen in Sicherheit. Viele von ihnen erlebten hier die Befreiung. Auch denen, die über den Balkan zu den unter britischem Kommando stehenden polnischen Streitkräften stoßen wollten, wurde Hilfe zuteil. Doch weder das kleine polnische Zwischenspiel noch der Umstand, daß die später aus deutscher Gefangenschaft nach Ungarn geflüchteten Franzosen im Inferno des Krieges hier ein Asyl fanden, hielten das Land auch nur vorübergehend auf dem verhängnisvollen Weg auf.

Denn zu jener Zeit war der erste Wiener Schiedsspruch bereits gefällt: Als „Schiedsrichter" beschlossen im Herbst 1938 der deutsche und der italienische Außenminister, Ribbentrop und Graf Ciano, daß ein relativ großes, von Ungarn bewohntes Gebiet der Slowakei Ungarn zufallen sollte. Der Beschluß hatte vor allem eine ethnische Grundlage. Die Grenze verlief so gewunden, daß jeder Eisenbahnzug nach Kaschau tschechoslowakisches Hoheitsgebiet passieren mußte. Aber nahezu 90 Prozent der Bevölkerung des „heimgekehrten" Gebietes waren Ungarn, während die Zahl der Slowaken unter 10 Prozent lag. (Falls diese Angaben die ethnischen Relationen nicht genau widerspiegeln, so deshalb, weil zum Beispiel die hier lebenden Juden sich überwiegend als Ungarn fühlten und sich als solche registrieren ließen. Allerdings wurde ihr Los dadurch kaum erleichtert . . .) Erwähnt sei, daß nach dem ersten Wiener Schiedsspruch viele „Heimkehrer" die bittere Erfahrung machten: Obwohl sie „drüben" als Ungarn benachteiligt gewesen waren, hatte ihnen die tschechoslowakische bürgerliche Republik doch mehr staatsbürgerliche Rechte und Gleichberechtigung gewährt als das im halbfeudalen Zustand erstarrte Ungarn, wo selbst der kleinste Amtsträger arrogant war, die Gendarmen brutal vorgingen und die ganze Atmosphäre muffig und verstaubt war.

Im Sommer 1940 erfolgte der zweite Wiener Schiedsspruch. Auch diesmal waren es Ribbentrop und Ciano, die Ungarn nun einen Teil Siebenbürgens zurückgaben. Die ethnische Zusammensetzung der neugewonnenen Bevölkerung war allerdings wegen der stärker vermischten Besiedlung weit ungünstiger: Die Ungarn machten nicht ganz 52 Prozent aus, während 42 Prozent Rumänen waren.

Wie gestalteten sich unterdessen die ungarisch-sowjetischen Beziehungen? Die schon seit 1934 bestehenden, allerdings ziemlich formalen Kontakte wurden zu Beginn des Jahres 1939, als sich Ungarn dem deutsch-italienisch-japanischen Antikominternpakt anschloß, von der Sowjetunion abgebrochen. Als sich jedoch Stalin später für den Abschluß eines sowjetisch-deutschen Nichtangriffspaktes entschied, machte die sowjetische Seite, um ihre Grenzen auch im Karpatenraum zu sichern, wiederholt Versöhnungsgesten. Auf ihren Vorschlag hin wurden die diplomatischen Beziehungen bereits im Herbst 1939 wieder aufgenommen. Ein Jahr später gelangte ein Handelsvertrag zur Unterzeichnung. Danach wurden zwei in Ungarn zu lebenslänglicher Haft verurteilte kommunistische Führer freigelassen und an die Sowjetunion übergeben: Mátyás Rákosi und Zoltán Vas. Als Gegenleistung brachte ein Sonderzug mit militärischem Ehrengeleit 56 Honvédfahnen aus dem Freiheitskrieg 1848/49 von Moskau nach Budapest. Sie waren von den zaristischen Truppen bei der Niederschlagung des Freiheitskampfes erbeutet worden. Nur wenige Tage danach war Graf Pál Teleki tot. Warum nur?

Die partiellen Gebietsrevisionen gegenüber der Tschechoslowakei und Rumänien waren zwar mit Erpressung, aber nicht mit Blutvergießen verbunden. Die einige Jahrzehnte später veröffentlichten Informationen über angebliche blutrünstige Taten der in Siebenbürgen einrückenden ungarischen Truppen sind Fälschungen bzw. maßlos übertriebene Darstellungen einiger kleinerer Zwischenfälle. Auf ähnliche Weise gelangte als drittes, bei der völligen Zerstückelung der Tschechoslowakei, die Karpato-Ukraine (heute das Transkarpatische Gebiet der Sowjetunion) in ungarischen Besitz. Der vierte Akt bei der Revision des Friedensvertrages von Trianon war der letzte Einsatz in dem Hasardspiel. Nun gab es kein Zurück mehr. Als Hitler

Gebiete, die aufgrund des ersten Wiener Schiedsspruchs
von der Tschechoslowakei an Ungarn gingen

Gebiete, die im Zuge der Liquidierung der Tschechoslowakei in Besitz genommen wurden

Gebiete, die aufgrund des zweiten Wiener Schiedsspruchs von Rumänien an Ungarn gingen

Gebiete, die im Zuge der Liquidierung Jugoslawiens in Besitz genommen wurden

--- Landesgrenze im Oktober 1938
-·-· Landesgrenze Ende 1941

im Frühjahr 1941 das auch innerlich schwache Jugoslawien überrannte, gestattete Ungarn nicht nur den Durchzug der Nazitruppen in ein Land, mit dem es erst unlängst einen Freundschaftsvertrag „für ewige Zeiten" abgeschlossen hatte. Horthy ersuchte sogar, am heimtückischen Überfall teilnehmen zu dürfen, jedenfalls wehrte er sich nicht gegen eine Beteiligung.

Teleki bekleidete damals schon seit zwei Jahren den Posten des Ministerpräsidenten. Wir haben schon erwähnt, daß er ein namhafter Geograph war, er gefiel sich auch in der Rolle des „Oberpfadfinders" des Landes. Doch er war ein innerlich zerrissener Mensch. Der schwankende Moralist unterstützte soziologische Untersuchungen, die empörende Angaben aus den untersten Schichten der Gesellschaft zutage förderten. Gleichzeitig aber paktierte er mit den extremsten Rassisten, vielleicht um ihnen im Interesse seiner gemäßigteren nationalen Ideale den Wind aus den Segeln zu nehmen und ein Gegengewicht zum deutschen Rassismus zu schaffen.

Doch nun war er in einer ausweglosen Situation und setzte seinem Leben ein Ende. Seine Geste war dramatisch, aber letztlich unnütz. Man steht nicht an, den Notschrei an Horthy, den er wenige Minuten vor seinem Tod hastig niederschrieb, zu zitieren: „Durchlaucht! Wir sind wortbrüchig geworden – aus Feigheit – gegenüber dem auf der Rede von Mohács basierenden ewigen Friedensvertrag. Die Nation spürt, daß wir unsere Ehre besudelt haben. Wir haben uns auf die Seite der Schurken gestellt – denn an den Greueltaten ist kein Wort wahr! Sie wurden nicht gegen die Ungarn, ja nicht einmal gegen die Deutschen begangen. Wir werden Leichenfledderer werden. Die widerlichste Nation. Ich habe es nicht verhindert. Ich bin schuldig."

Telekis Geste kam politisch zu spät und bewirkte

nichts, aber als individuelle Tat ist sie unbedingt zu respektieren. Als der britische Premierminister Winston Churchill die Nachricht vom Selbstmord Telekis erhielt, meinte er, daß für diesen bei den künftigen Friedensverhandlungen ein Stuhl freigehalten werde. Diese Äußerung ist edelmütig, würdig eines Churchill, wie er sich in seinen besten Minuten gab. Aber von einem leeren Stuhl, auf dem die Schattengestalt Pál Telekis hätte sitzen können, war bei den Pariser Friedensverhandlungen von 1946/47 keine Rede mehr.

In dem Gebiet, das sich Ungarn von Jugoslawien zurückholte – gegen bewaffneten Widerstand –, betrug die Zahl der Ungarn nur 36 bis 37 Prozent, die der Deutschen 20 Prozent, während der Rest sich aus Südslawen und anderen Völkern zusammensetzte. Allerdings muß man berücksichtigen, daß hier nach 1918 eine umfassende serbische Siedlungspolitik betrieben worden war. Aber auch so wird offenkundig, daß sich infolge der „Landeserweiterung" in der Manier Horthys die ethnische Zusammensetzung zunehmend verschlechterte.

Im Juni 1941 erklärte Ungarn der Sowjetunion den Krieg. (Damit geriet es nach und nach in Kriegszustand mit den Alliierten, die sich gegen die Achsenmächte verbündet hatten.) Dieser Akt ist wiederum reichlich sonderbar. Es ist eine Tatsache, daß schon fünf Tage nach dem Überfall Hitlerdeutschlands auf die Sowjetunion sich die ungarischen Streitkräfte ihnen anschlossen. Notabene mit einer Ausrüstung, die zu einem nicht geringen Teil von Pferden gezogen wurde, und mit „schnellbeweglichen Truppenformationen", die sich Fahrräder bedienten . . . Ministerpräsident László Bárdossy erklärte den Krieg ohne Befragung des Parlaments, also unter Mißachtung des Gesetzes. Als Grund nannte er die Bombardierung Kaschaus, die er als sowjetische Provokation hinstellte. Warum hätte die Sowjetunion Ungarn provozieren sollen? Sie hatte vielmehr bis zur letzten Minute versucht, Ungarn vom Kriegseintritt abzuhalten – mit Gesten, die in der diplomatischen Praxis selten sind. Freilich wurde bald (schon im Sommer 1941) bekannt, daß die Maschinen, die auf Kaschau – sowie auf Munkács und Rahó – wahllos ein paar Bomben geworfen hatten, der deutschen Luftwaffe angehörten. Dem widerspricht, daß die politische Führung Deutschlands damals die Kriegsbeteiligung Ungarns noch nicht wünschte. Für sie war wichtiger, daß Lebensmittel, Bauxit und Rohöl ungehindert aus Ungarn nach Deutschland rollten. Außerdem war die deutsche Kriegsindustrie nicht in der Lage, das Waffenarsenal der schlecht ausgerüsteten ungarischen Truppen aufzubessern. Allerdings hätte es die Wehrmacht begrüßt, wenn ihre in breiter Front angreifenden Truppen außer von slowakischen und rumänischen auch von ungarischen Einheiten unterstützt worden wären. Es tauchten aber auch andere Versionen auf: Slowakische Flieger hätten aus Rache für die annektierten Gebiete den geheimnisumwitterten Angriff unternommen. Oder: Es sei das Werk der Rumänen gewesen, weil sie argwöhnten, daß die ungarische Armee, falls sie im Osten nicht kämpfte, weitere Teile Siebenbürgens besetzen könnte. Es ist überaus merkwürdig und ungewöhnlich, daß seit 1941, also seit nahezu 50 Jahren, keine offiziellen Angaben und Dokumente oder Bekenntnisse im Zusammenhang mit dieser Aktion bekannt geworden sind: weder geheime Aufzeichnungen von der Operation noch Berichte von Teilnehmern der Aktion oder von Augenzeugen.

Die anfangs an die Ostfront abkommandierten Kräfte waren zunächst begrenzt, und erneut wiegte man sich wie 1914 in der Illusion, daß die Soldaten in wenigen Wochen – siegreich – zurückkehren würden. Im Frühjahr 1942 rückte die 200 000 Mann zählende 2. ungarische Armee an die russische Front ab. Im Januar 1943 machte die sowjetische Armee am großen Donknie in der Umgebung von Woronesch den schwächsten Punkt aus. Sie durchbrach den Frontabschnitt der an der Seite der Hitlertruppen kämpfenden Rumänen, um dann den Durchbruch zu erweitern, gewaltige Kräfte des Gegners zu zerschlagen, einzukesseln, gefangenzunehmen oder in die Flucht zu schlagen. Dabei verlor die 2. ungarische Armee 150 000 ihrer 200 000 Mann.

Ein Teil der gefallenen oder in Gefangenschaft geratenen ungarischen Soldaten war nicht bewaffnet. Als Zwangsarbeiter, sogenannte Arbeitsdienstler, verrichteten sie die schwersten und gefährlichsten Tätigkeiten hinter der Front. Zu diesen Einheiten, die unter bewaffneter Aufsicht an der Ostfront und in Ungarn arbeiteten, wurden Oppositionelle, Juden und verdächtige Angehörige der Nationalitäten einberufen. Unter den Oppositionellen befanden sich anfangs auch Pfeilkreuzler – ungarische Nationalsozialisten –, später aber nur noch Sozialdemokraten und Kommunisten. Der Krieg, die grauenhafte Mathematik des Mordens, liefert uns seltsame Erkenntnisse: Zwar kann man die Arbeitsdiensteinheiten – besonders die an der Ostfront – ohne Übertreibung als mobile Schlachthöfe bezeichnen, weil es manchen Kommandeuren nicht darum ging, die Zwangsverpflichteten arbeiten zu lassen, sondern sie zu vernichten; dennoch ist von den jüdischen Arbeitsdienstlern ein größerer Anteil am Leben geblieben als von jenen, die mit ihren Familien in die Todeslager verschleppt wurden.

Nach der Vernichtung der 2. ungarischen Armee erkannte die politische Führung Ungarns – nunmehr mit dem Ministerpräsidenten Miklós Kállay –, daß der bis dahin beschrittene Weg zum Bankrott führen würde.

Sie ließen sich auf ein doppeltes Spiel ein, betrieben Schaukelpolitik. Während die Nazis darauf drängten, daß die Ungarn ihren Kriegseinsatz vergrößerten, versuchten diese ihre Leistungen möglichst gering zu halten, wovon sie die Alliierten, das heißt nur die Westmächte, in Kenntnis setzten. Scheinbar vorsichtig und geheim wurden die Möglichkeiten des Abspringens sondiert. Doch die Deutschen waren darüber genau informiert. Und wie heterogen und zeitlich begrenzt die unter sowjetischer und amerikanisch-britisch-französischer Führung stehende Anti-Hitler-Koalition auch immer war – einen solchen Handel ließ sie nicht zu.

Als Horthy dies erkannte, als er endlich einsah, daß er sich mit der Bitte um Waffenstillstand nur an den „Erzfeind" Sowjetunion wenden konnte, war es bereits zu spät. Italien hatte den Absprung gerade noch geschafft. Ungarn wurde im März 1944, während Horthy im Hauptquartier mit Hitler verhandelte, von geringen deutschen Verbänden besetzt. Horthy besaß nicht einmal die Energie, sich persönlich aufzulehnen. Im Gegenteil. Er begnügte sich damit, den Anschein einer wenn auch überaus beschränkten Souveränität aufrechtzuerhalten.

Und nun reifte die schlimmste Saat. Die Horthy-Ära, die mit dem Weißen Terror die Szene betreten hatte, neigte von Anfang an zum Antisemitismus, sie mäßigte diese Tendenz nur vorübergehend. Im Jahr 1938 wurde das erste, 1939 das zweite und 1941 das dritte Judengesetz verabschiedet, die das Betätigungsfeld und die Lebensmöglichkeiten der jüdischen Staatsbürger mehr und mehr einengten. Aber diese wurden erst nach der deutschen Besetzung – unter Anleitung von Adolf Eichmann, allerdings unter weitreichender ungarischer Mitwirkung – in Gettos gesperrt und in deutsche Todeslager verschleppt. Obwohl das Budapester Getto infolge der scharfen internationalen Proteste zum Teil verschont blieb, viele Juden durch Aktionen weltlicher und kirchlicher Kräfte, auch durch Bemühungen der schweizerischen und anderer Botschaften sowie des Roten Kreuzes, gerettet wurden, belief sich die Zahl der Opfer unter den ungarischen Juden im Zweiten Weltkrieg auf 400 000. Neun Zehntel der jüdischen Bevölkerung in der Provinz und nahezu die Hälfte der in Budapest lebenden Juden kamen um. Die Zahlen beruhen auf Schätzungen, genaue Angaben sind leider nicht verfügbar.

Das Ziel Ungarns im Zweiten Weltkrieg war – in erster, zweiter und dritter Hinsicht – die Wiederherstellung der Grenzen, wie sie vor Trianon bestanden hatten, also eine territoriale Revision. Dies war nun endgültig gescheitert. Es war klar geworden, daß die Gebiete, die durch den ersten und den zweiten Wiener Schiedsspruch an Ungarn zurückgekehrt waren bzw. mit Waffengewalt zurückerobert worden waren, am Ende des verlorenen Krieges wieder verlorengehen würden. Doch im Sommer 1944 war das Schicksal Siebenbürgens noch nicht eindeutig entschieden. Gewisse Anzeichen ließen darauf schließen, daß dies davon abhinge, wer das umstrittene Gebiet von den Deutschen befreien würde. Neben den immer tragischeren militärischen, menschlichen und wirtschaftlichen Verlusten war dies für Horthy und seine Leute eine Motivation dafür, die Versuche eines Kriegsaustritts auch nach der deutschen Besetzung fortzusetzen. Im August 1944 gelang dies dem königlichen Rumänien. Nunmehr eröffneten die vereint kämpfenden sowjetischen und rumänischen Streitkräfte den Angriff, den die schwachen ungarischen Truppen, die an den Grenzen von 1940 standen, nicht aufzuhalten vermochten. Während im Norden die Gebirgskette der Karpaten längere Zeit verteidigt werden konnte, erreichten die sowjetischen Einheiten im Südosten bereits im September 1944 die in Trianon festgelegten Grenzen. Bald standen sie vor Szegedin, von wo einst Horthys Sonderkommandos aufgebrochen waren.

Anfang Oktober begann im Raum von Debrecen eine gigantische Panzerschlacht. Am 15. Oktober verkündete Horthy in einer Rundfunkansprache den Waffenstillstand, der zwar diplomatisch, aber nicht politisch und militärisch vorbereitet worden war. Der Absprungsversuch scheiterte binnen weniger Stunden. Die Nazis standen bereit. Derselbe SS-Raufbold Otto Skorzeny, der nach dem Ausscheren der Italiener mit seinem Fallschirmkommando Mussolini aus dem Gefängnis befreit hatte, nahm diesmal in Budapest Miklós Horthy junior gefangen und machte ihn zur Geisel. Der gebrochene Reichsverweser mußte offiziell die Macht an den Führer der ungarischen Nationalsozialisten, den Pfeilkreuzler Ferenc Szálasi, übergeben, während er selbst samt seiner Familie in Deutschland interniert wurde. (Obwohl später das ungarische Volksgericht mehrere Minister und Generäle, die Horthys Politik ausgeführt hatten, dann größtenteils von den Amerikanern gefangengenommen und an das neue Ungarn ausgeliefert worden waren, wegen Kriegsverbrechen zum Tod verurteilte, blieb dieses Los dem einstigen Reichsverweser erspart. Er starb 1957 in der Emigration in Portugal.)

Der ehemalige Generalstabsoffizier Szálasi, dessen Gedanken noch verworrener waren als die Hitlers, errichtete im fragmentarischen Landesgebiet eine wahnwitzige Schreckensherrschaft. Ende 1944 begann die Belagerung Budapests. In Wirklichkeit verteidigte die deutsche Wehrmacht verzweifelt das Wiener Becken sowie das einzige noch verfügbare Ölfeld in Zala. Aber der Kampf in Ungarn fand mit der Einschließung der ungarischen Hauptstadt und auch nach ihrem Fall noch immer kein Ende.

Unterdessen gab es Versuche, auch eine reguläre ungarische Streitmacht an der endgültigen Zerschlagung des Dritten Reiches teilnehmen zu lassen . . . Eine Gruppe der in sowjetische Kriegsgefangenschaft geratenen ungarischen Soldaten betrieb die Aufstellung einer ungarischen Legion, erhielt dazu aber keine Möglichkeit. Die im befreiten Landesteil in Debrecen gebildete Provisorische Regierung stellte eine neue, demokratische Honvédarmee auf, die aber nicht rechtzeitig einsatzbereit war. Nur an den Kämpfen um Budapest beteiligte sich eine spontan gebildete Einheit, das Budaer Freiwilligenregiment.

Die letzte bedeutende Schlacht des Krieges war die deutsche Ardennenoffensive im Dezember 1944. Nachdem sie gestoppt worden war, wurde die 6. SS-Panzerarmee, der noch schlagkräftige Eliteverband der deutschen Wehrmacht, eilends nach Ungarn, nach Transdanubien, verlegt, um dort in der Umgebung des Plattensees das Ölfeld von Zala zu verteidigen. Als schließlich die sowjetischen Truppen am 4. April 1945 auch das letzte ungarische Dorf befreiten, sollte der Zweite Weltkrieg in Europa nur noch wenig länger als einen Monat dauern.

Vier – oder ein plus drei Jahrzehnte

Tag für Tag fügt jeder von uns dem Bauwerk der Geschichte ein Steinchen hinzu. Doch wer an einem wie auch immer gearteten Detail baut, besitzt nicht die Distanz, um das Ganze zu überblicken. Versuchen wir dennoch, die letzten 40 Jahre wenigstens in großen Zügen zu skizzieren – als hätten wir schon ein wenig Abstand . . .

Als die sowjetischen Streitkräfte die letzten deutschen – und die noch zu ihnen haltenden ungarischen – Truppen aus dem Land verjagt hatten, bedeutete dies für den einen den Verlust alter Privilegien, für den anderen die langersehnte Befreiung. Für die ungarische Gesellschaft brach eine Revolution an, die sie nicht erkämpft hatte, sondern die ihr von anderen zufiel: dem einen als Lohn, dem anderen als Strafe.

Das Land war verwüstet. Grob geschätzt vernichtete der Krieg das Fünffache des Nationaleinkommens des letzten Friedensjahres 1938 oder 40 Prozent des absoluten Nationalvermögens. In den Kämpfen kamen 120 000 bis 140 000 Menschen ums Leben, und etwa eine Viertelmillion kehrte nie aus der sowjetischen, britischen, amerikanischen bzw. französischen Gefangenschaft zurück. Sie starben dort oder wählten dort eine neue Heimat. Nach dem Krieg geriet eine halbe Million Menschen in langjährige Kriegsgefangenschaft. Die überwiegende Mehrheit von ihnen kam nach zwei bis drei Jahren zurück, einige Zehntausende erst in den fünfziger Jahren. Es ist schwer, genau nachzuweisen, wie viele Tote der Krieg unter der zivilen Bevölkerung gefordert hatte. Auch hier sei erwähnt, daß 400 000 ungarische Juden dem Holocaust zum Opfer fielen.

Ein beträchtlicher Teil von Budapest und mehrere hundert Ortschaften lagen in Trümmern. Keine einzige Donaubrücke war heil geblieben. Die Goldreserven der Nationalbank, der größte Teil des rollenden Materials der Eisenbahn, eine Unmenge an Maschinen, Ausrüstungen, lebendem Vieh, musealen Kunstschätzen, privaten Wertsachen usw. wurde in den Westen verschleppt.

Andererseits lebte die ungarische Bevölkerung, soweit sie am Leben geblieben war, schon kurze Zeit, nachdem die Front über sie hinweggerollt war, wahrscheinlich besser als die Menschen in vielen Gegenden Europas. Zumindest gab es mehr Kalorien zum Verbrauch.

Schwungvoll begann der Neuaufbau. In den Genuß der Bodenreform kamen 650 000 Familien besitzloser oder kleiner Bauern. Obwohl das Einkommen der Arbeiter auf einen Bruchteil schrumpfte, erlebte die Industrie schon vor der Verstaatlichung eine schnelle Regenerierung. Neben der Versorgung des Binnenmarktes begann der Warenaustausch mit sowjetischen, tschechoslowakischen und rumänischen Partnern.

Mit Unterstützung der sowjetischen Besatzungsmacht und unter ihrer minimalen Kontrolle entfaltete sich in der Provinz schlagartig die örtliche Selbstverwaltung der Bevölkerung. Willkürliche Vergeltungen für früher erlittenes politisches und soziales Unrecht waren selten. Für die Verbrechen der Vergangenheit wurden die Schuldigen gerichtlich zur Verantwortung gezogen. Es eröffneten sich neue, umfassende Möglichkeiten für die Bildung der Arbeiter- und der Bauernkinder. Das Marschlied des Landesverbandes der Volkskollegien (NÉKOSZ), das ein paar Jahre hindurch häufig ge-

sungen wurde, gibt sehr gut die Stimmung jener Epoche
wieder:

Heißa, werden unsre Fahnen
von blanken Winden gebläht,
darauf: Es lebe die Freiheit!
groß geschrieben steht.

Heißa, Winde, blanke Winde,
weht ihr nur immerzu, weht.
Morgen wird die Welt, die ganze,
von uns umgedreht!

Es war die Epoche der „blanken Winde", deren Pathos auch dann mitreißend ist, wenn die „Umdrehung"
nicht oder nicht ganz nach diesen schönen Vorstellungen gelang.

Einen schnellen Aufschwung erlebte auch das geistige Leben. Zwar kehrte der schwerkranke Béla Bar-
tók aus der Emigration nicht mehr zurück, Zoltán Kodály aber wurde zum hervorragenden Organisator der
neuen, populären Nationalkultur. Der Biochemiker Al-
bert Szent-Györgyi, der Entdecker des Vitamins C – der
einzige ungarische Wissenschaftler, der den Nobelpreis
als Staatsbürger Ungarns erhielt –, stellte sich bei der
Erneuerung der ungarischen Wissenschaften an die
Spitze. (Während Kodály seine Mission hartnäckig und
aktiv bis zum Schluß erfüllte, verließ Szent-Györgyi
nach einigen Jahren enttäuscht das Land.)

Bei den Pariser Friedensverhandlungen 1946/47
wurde Trianon nicht im geringsten korrigiert. Im Gegenteil, südlich von Preßburg wurden weitere Gemeinden von Ungarn abgetrennt. Die Auflagen zur ungarischen Wiedergutmachung waren beträchtlich.

Über die unmittelbaren Verluste hinaus – die sich

durch die nie erstatteten Kriegsschulden Deutschlands erhöhten – wurden Ungarn für seine unbestreitbare Kriegsschuld in Paris Verpflichtungen auferlegt, deren realer materieller Umfang schon deshalb nicht genau zu bestimmen ist, weil während und nach dem Krieg Tauschrelationen, Preise und Verrechnungsweisen nicht den realen Aufwendungen entsprachen. Sie wurden nicht durch Wertgesetz und Marktmechanismen kontrolliert.

Vom Frühjahr 1945 bis zum Sommer 1946 tobte in Ungarn die wildeste Inflation der internationalen Finanzgeschichte. Die letzte Pengő-Banknote, die herausgegeben wurde, lautete auf 100 Quadrillionen. Die neue Währung, der Forint, wurde später dem Wert von 400 000 Quadrillionen Pengő gleichgesetzt. Einen beträchtlichen Teil des städtischen Abfalls machten damals die weggeworfenen Geldscheine aus. Die Einführung des Forint im August 1946, die Stabilisierung ohne ausländische Anleihe, im Grunde nur durch Warendeckung, war eine finanztechnische Glanzleistung. Allerdings war es mehr als nur ein Schönheitsfehler dieser Währungsreform, daß sie zugleich eine Preisreform war: Preisrelationen wurden verschoben, die landwirtschaftlichen Waren ab-, die industriellen dagegen aufgewertet. Damit öffnete sich die Agrarschere. Zwar war es in der Notlage nach dem Krieg nicht unbegründet, etwa Wohnungsmieten und Dienstleistungstarife niedrig zu halten, doch sollte diese Einschränkung des Wertgesetzes später üble Folgen haben.

Die Wiederherstellung der Grenzen von Trianon löste große Siedlungsbewegungen aus. Viele gingen freiwillig in das Mutterland (teils im Rahmen eines Bevölkerungsaustausches), viele wurden verjagt (vor allem aus der Slowakei). Gleichzeitig schrieb das Potsdamer Abkommen der vier Großmächte die massenweise

Aussiedlung der Deutschen aus Ungarn vor. Da auch die umgesiedelten Ungarn Grund und Boden sowie Wohnungen dringend benötigten, überschritt diese Aktion mitunter das vorgeschriebene Maß. Infolge dieser Maßnahmen wurde das Land ethnisch gesehen relativ einheitlich: Wenn man von der nahezu eine halbe Million zählenden Zigeunerbevölkerung (etwa 4 bis 5 Prozent) absieht, so betrug der Anteil der Deutschen, Slowaken, Südslawen, Rumänen, Ruthenen (Karpato-Ukrainer) und anderer nichtungarischer Nationalitäten insgesamt nicht einmal eine halbe Million. Er übersteigt diese Zahl auch dann nicht, wenn man die offiziellen Daten der Volkszählung durch reale Schätzung um die Zahl jener ergänzt, die aus irgendwelchen Gründen – die in einer nicht so fernen Vergangenheit wurzelten, nun aber keineswegs mehr aktuell waren – die Nationalität ihrer Väter nicht als ihre eigene empfanden oder sich nicht zu ihr bekannten. Angesichts der menschlichen Leiden und Tragödien der Um- und Aussiedlungen in der allgemeinen Nachkriegsstimmung sowie infolge der verschlechterten Beziehungen zu Jugoslawien, die nach 1948 vorübergehend den Charakter eines „kalten Krieges" annahmen, kann man im ersten Jahrzehnt nach 1945 nicht von einer Aussöhnung zwischen den Ungarn und den im Land verbliebenen anderen Nationalitäten sprechen. Insbesondere die Südslawen und die verbliebenen Deutschen erfuhren Diskriminierungen.

Während jedoch diese hin und zurück wogende demographische Mobilität höchstens eine Größenordnung von einer Viertelmillion erreichte, waren die im Jahr 1920 festgelegten und im Jahr 1947 bestätigten Landesgrenzen Ungarns zur endgültigen historischen Realität geworden. Das bedeutete, daß künftig mehrere Millionen Ungarn – die an der jahrhundertealten Heimat ihrer Vorfahren festhielten – als Staatsbürger der

Nachbarländer Ungarns leben mußten. Wir wollen eher Größenordnungen andeuten als genaue Daten nennen, da der Fehlerquotient der Statistiken aus historischen wie auch psychologischen Gründen zu groß ist. In Rumänien leben mindestens 2,5 Millionen, in Jugoslawien und der Tschechoslowakei insgesamt mehr als 1 Million, in der Sowjetunion 200 000 und in Österreich 10 000 bis 20 000 Ungarn. Wenn man noch die durch zahlreiche Emigrationswellen in alle Welt zerstreuten Ungarn in Betracht zieht, die Zeichen der Verbundenheit mit der alten Heimat erkennen lassen, kann man von einer breitgefächerten ungarischen Diaspora sprechen. In Nordamerika macht sie 1 Million aus, in vielen europäischen und südamerikanischen Ländern umfaßt sie Hundert- oder Zehntausende. In Israel ließ sich nahezu eine Viertelmillion ungarischer Juden nieder. Zum Gesamtvergleich: Die Bevölkerung Ungarns liegt heute bei etwa 10,5 Millionen. Ziehen wir von dieser Zahl die der Angehörigen anderer Nationalitäten ab, kommen wir auf rund 10 Millionen Ungarn. Mehr als ein Drittel aller Ungarn lebt außerhalb der heutigen Landesgrenzen. In Europa bilden sie die zahlenmäßig stärkste nationale Minderheit.

In den Jahren 1945 bis 1949 veränderte sich das politische System in Ungarn sehr rasch. Die 1945 wieder- oder neugegründeten Parteien, etwa ein Dutzend, maßen sich bereits im Herbst 1945 in breitangelegten, demokratischen Wahlen. Das dort zutage tretende Kräfteverhältnis war aber äußerst labil. Bald schmolzen sie auf vier Parteien zusammen. Unter den verbliebenen je zwei Bauern- und Arbeiterparteien schlossen sich die Sozialdemokratische und die Kommunistische Partei zur Partei der Ungarischen Werktätigen zusammen. Es entstand – ähnlich wie in den anderen, später zu einem neuen Bündnis vereinten osteuropäischen Ländern –

eine Volksdemokratie, die im Grunde den friedlichen und kompromißbereiten Weg der sozialistischen Revolution gehen wollte. Ihre führende Kraft war nur eine Partei, die Arbeiterpartei, während in einigen anderen Ländern die nur nominell bestehenden übrigen Parteien und/oder Parteilosen im Rahmen der Volksfront eine – in unserem Fall zunehmend beschränkte, recht formale – politische Tätigkeit ausüben konnten.

In der führenden Gruppe der 1944/45 überaus aktiven ungarischen Kommunisten spielten die Heimkehrer aus der Moskauer Emigration, insbesondere Mátyás Rákosi, von Anfang an die entscheidende Rolle. In den ersten Jahren jedoch hatten auch noch jene, die vor und während des Krieges in Ungarn in der Illegalität tätig gewesen waren, ein gewichtiges Wort mitzureden. Nach 1948, dem Jahr der Wende, verdrängten Rákosi und sein engerer Kreis einen nach dem anderen ihre potentiellen oder vermeintlichen Rivalen innerhalb der Partei: ehemalige Sozialdemokraten oder im Land gebliebene Kommunisten. Dies geschah zum Teil, indem man sie in widerrechtlich geführten Prozessen zum Tod oder zu schweren Freiheitsstrafen verurteilte. Besonders „verdächtig" waren die Veteranen von 1919 sowie die ehemaligen ungarischen Freiwilligen des Spanischen Bürgerkrieges und im Grunde alle diejenigen, die zum selbständigen Denken und Handeln neigten. So ging László Rajk in den Tod, so wurden die ehemaligen Sozialdemokraten György Marosán (eine Zeitlang Stellvertreter Rákosis) und Árpád Szakasits (eine Zeitlang Staatsoberhaupt) sowie der Kommunist János Kádár, Führer der Partei in den schwersten Kriegsjahren, eingekerkert.

Der radikal-dogmatische Utopismus Rákosis und seiner Anhänger sowie ihre machiavellistischen Machenschaften im Kampf um die absolute Macht entsprachen zwar dem Stalinschen Typus, doch wiesen sie auch spezifische Züge auf. Um das Jahr der Wende war ihre politische Basis bei den Arbeitern und Intellektuellen, ja sogar bei den Agrarproletariern stabil. Doch sie zerbröckelte in wenigen Jahren – durch die plötzliche Zwangskollektivierung der Landwirtschaft (in der bereits spontane Zusammenschlüsse begonnen hatten), durch die einseitige, forcierte Entwicklung der Schwerindustrie (die eigentlich das Győrer Kriegsprogramm aufgriff), durch die sich daraus ergebende Aufweichung der Arbeiterklasse durch Bauern, die aus den Dörfern bzw. den Genossenschaften flohen, durch die Verschlechterung der Lage aller Arbeiterschichten, die gewaltsamen Verstaatlichungen, die übertrieben zentralisierte Planwirtschaft, die Fetischisierung des autoritären Staates, durch Einschüchterung der Kleinproduzenten und Angehörigen der Mittelschicht durch zunehmende Enteignung ihres geringen Besitzes, durch Bespitzelung, Führung geheimer Personalakten, weiterhin dadurch, daß Kinder aufgrund ihrer Herkunft in ihrer Ausbildung behindert wurden, durch die Antreiberei in der Produktion, durch Einschränkungen wie in Kriegszeiten (Arbeitsplatzzwang, Kartensystem), durch Gesetzwidrigkeiten, die sich nicht nur auf die großen politischen Schauprozesse beschränkten.

Obwohl der Prozeß vielschichtig verlief, Gutes und Böses oft miteinander verquickt waren, kann das Urteil über diese Periode doch nur lauten, daß der größte Teil dessen, was in den ersten vier Jahren nach 1945 aufgebaut worden war – und das war nicht wenig –, in den nächsten vier Jahren zunichte gemacht wurde. Nach Stalins Tod und dem aufrüttelnden XX. Parteitag der KPdSU kehrte Imre Nagy von der Peripherie der ungarischen Partei in den Mittelpunkt des Geschehens zurück. Auch er hatte die Emigration in Moskau verbracht. In der Debrecener Provisorischen Regierung von 1944/45 hatte er das Amt des Landwirtschaftsministers bekleidet. Im Jahr 1953 wurde er Ministerpräsident, während Rákosi weiterhin die Funktion des Ersten Sekretärs innehatte. Die folgenden drei Jahre brachten keine wirksame Korrektur der Politik, wie dies Nagy versprochen hatte, vielmehr waren sie von inneren Parteikämpfen und Fraktionsstreitigkeiten erfüllt. Zwar wurde die Wirtschaftspolitik etwas nüchterner gehandhabt, und die Rehabilitierung von rechtswidrig Verurteilten kam in Gang – nicht wenige von ihnen waren bereits tot –, aber Rákosi und seine Gruppe starteten einen Gegenangriff nach dem anderen.

Die Massenbewegungen von 1956 brachen nicht zu dem Zeitpunkt aus, als das Land und die Gesellschaft auf dem Tiefpunkt angekommen waren, sondern als der Neubeginn schon eingesetzt hatte. Jedoch entwickelte er sich schwach und stockend, so daß man einen Rückschlag befürchten konnte. Es erscheint zufällig und gesetzmäßig zugleich, daß auf der Massenkundgebung am 23. Oktober nur die Solidarität mit vorhergegangenen Aktionen in Polen bekundet werden sollte, die Ereignisse aber – bei stündlich offenkundiger werdender Ohnmacht der Partei, des Staates und der bewaffneten Kräfte – eine unkontrollierbare Wende nahmen. So brach der bewaffnete Kampf aus, und die mannigfachsten Leidenschaften, Ambitionen und Kräfte traten zutage, bis die sich einmischende Sowjetarmee die Möglichkeit schuf, eine neue politische Phase zu eröffnen.

Die Gründe, die schließlich im Herbst 1956 zum Aufstand geführt hatten, wurden von der Ungarischen Sozialistischen Arbeiterpartei, die sich unter Führung Jáncs Kádárs anstelle der zerfallenen Partei der Ungarischen Werktätigen bildete, auf der Beratung im Dezember so zusammengefaßt: 1. die prinzipienlose, dogmatische und verbrecherische Politik der Rákosi-Clique, 2. die zersetzende Tätigkeit der Parteiopposition unter Imre Nagy, 3. die antisozialistischen Restaurationsversuche der reaktionären Kräfte (hier sei vermerkt, daß in diesem Kreis der kurz zuvor abgeschlossene österreichische Staatsvertrag falsche Hoffnungen geweckt haben mag), 4. die Umsturzversuche von außen (der beste Beweis dafür sind die einschlägigen Sendungen des amerikanisch finanzierten Senders Free Europe in München). In den darauffolgenden Jahren und Jahrzehnten verschob sich aber der Akzent mehr und mehr in Richtung der letzten drei Punkte.

Nach dem großen Trauma – das auch bewirkte, daß über die wochenlang geöffneten Grenzen etwa 200 000 Menschen nach dem Westen geflohen waren – verkündete die neue Parteiführung den radikalen Bruch mit der Vergangenheit. Während sie gegen jene, die ein paar Tage lang bewaffneten und längere Zeit politischen Widerstand leisteten, überaus energisch und entschlossen vorging, – den dramatischen Höhepunkt bildeten die Schauprozesse gegen Imre Nagy und andere Märtyrer des Aufstandes –, gestaltete sie nach und nach eine Variante des sozialistischen Aufbaus, die den ungarischen Verhältnissen viel besser angepaßt war und auf der Zusammenarbeit mit den Massen basierte.

Als erstes wurde umgehend die Agrarpolitik geändert, um schon die Grundlage für eine gute Frühjahrsbestellung und die kommende Ernte zu schaffen. Die ungarische Landwirtschaft ist seitdem – obwohl sie in letzter Zeit durch die niedrigen Weltmarktpreise für Agrarerzeugnisse, den westlichen Protektionismus, die schlechter werdenden Tauschrelationen und eine starke Besteuerung belastet ist – ein Beispiel und erfolgreiches Versuchsgelände für die Erhaltung persönlicher Interessiertheit und unternehmerischen Elans im real existierenden Sozialismus. Besonders erfolgreich ist die integrierte Entwicklung der landwirtschaftlichen Großproduktion und der Pflanzen- und Viehproduktion von kleinen privaten Familienbetrieben, Hauswirtschaften (vornehmlich von Genossenschaftsbauern) und noch kleineren Produzenten. Mit Erfolg haben sich die landwirtschaftlichen Produktionsgenossenschaften auch in die Arbeit zahlreicher Industriezweige eingeschaltet. Sie bilden damit eine eigenständige Zulieferbasis für die staatliche Großindustrie und erzeugen auch Konsumgüter, die zuvor kaum erhältlich waren.

Schon im Sommer 1957 zeigte sich, vielleicht „allzu rasch", eine Konsolidierung der Wirtschaft. Das mag – neben dem zeitweiligen Wiedererstarken dogmatischer Kräfte – ein Grund dafür gewesen sein, daß die von den Reformökonomen empfohlene Umgestaltung der Industriepolitik damals ausblieb. Sie gelangte erst 1968, mit einer Verspätung von fast einem vollen Jahrzehnt, erneut auf die Tagesordnung. (Die Atmosphäre nach der militärischen Intervention der Ostblockstaaten am 21. August 1968 in der Tschechoslowakei war für einen mutigeren Reformkurs nicht besonders günstig.)

Seither ist die ungarische Wirtschaft durch permanente Reformprozesse – allerdings von wechselnder Intensität – gekennzeichnet. Im Verlauf dieser Prozesse soll die ungarische Volkswirtschaft von einer schwachen zu einer mittleren Entwicklungskategorie aufsteigen. Insgesamt bleibt sie hinter diesem Ziel zurück, obwohl sie einige Züge des angestrebten Wandels zeigt. Die Versuche und Methoden, von der Auslandspresse häufig als „ungarisches Modell" bezeichnet, haben in ihrem Umfeld zuweilen Pioniercharakter. Aber nach den Maßstäben der Welt und den eigenen sind die Reformmaßnahmen stets hinter den wirklichen Anforderungen von Wirtschaft und Gesellschaft zurückgeblieben. Zu diesem Urteil kommen wir angesichts der Krisenprozesse, die sich in den achtziger Jahren immer weiter vertieften. Das Ungenügen der Reform ist sowohl durch objektive Faktoren als auch durch subjektive politische Erwägungen bedingt.

Das Schlüsselwort der gesellschaftlich-politischen Entwicklung ist seit drei Jahrzehnten der „gesamtnationale Konsens". Er wurde durch folgende Einsichten und Maßnahmen gefördert: „Wer nicht gegen uns ist, ist mit uns." (Dieser Satz – eigentlich eine Umkehrung der bekannten, in ihrer ursprünglichen Form von Stalin und Rákosi gebrauchten biblischen Formel – wurde von János Kádár Ende 1961 verkündet.) Die Politik hat nicht mehr die Absicht, sich in allem und jedem aufzudrängen, sondern räumt dem Privatleben weiten Raum ein. Innerhalb der Landesgrenzen steht die Wahl des Wohnsitzes und des Arbeitsplatzes jedem frei, auch kann praktisch jeder das Land verlassen. Das ohnehin illusorische Prinzip des Monopols des Marxismus wurde vom Prinzip der Hegemonie des Marxismus und vom konstruktiven weltanschaulichen Dialog abgelöst. Das religiöse Leben gilt nicht mehr nur als absterbender Archaismus, sondern erlebt sogar eine gewisse Renaissance (die religiöse Aktivität von Jugendlichen, Kirchenbau, zunehmendes soziales Engagement), die nicht behindert wird. Die Ungarn leben mit den nationalen Minderheiten endgültig in Frieden, in völliger Harmonie und fördern eingedenk ihrer Brückenfunktion den Ausbau der Beziehungen von Menschen ihrer Nationalität zu ihrem Mutterland (wobei es allerdings bedrückend ist, daß das gleiche nicht überall, wo Ungarn eine nationale Minderheit bilden, praktiziert wird). Die Massen ungarischer Staatsbürger können während ihrer

Reisen ein reales Bild von Ost und West gewinnen. Zugleich können jene, die aus Ungarn emigriert sind, häufig ihre alte Heimat besuchen und die hiesigen Realitäten kennenlernen.

Laut soziologischen Untersuchungen sind eine kleinere und eine größere Minderheit der gegenwärtigen ungarischen Gesellschaft, etwa 0,5 bzw. 10 Prozent, merklich bzw. bedeutend wohlhabender als der Durchschnitt. Diese beiden Schichten sind jede für sich sehr heterogen. Man findet unter ihnen private Handwerker, Rechtsanwälte, Sportler, einen Teil der Ärzteschaft, Kleinproduzenten auf dem Land. (Dagegen sind Angehörige der politischen und der Machtelite nur selten in dieser Schicht anzutreffen, schon gar nicht bei den 0,5 Prozent der Spitzenverdiener.) Häufig stammen große Vermögen von früher her. Menschen, die auf älteren Besitz zurückgreifen können oder von zu Hause eine starke materielle Grundlage erhalten, kommen leichter voran. Aber es gibt auch frischgebackene Selfmademen. Diese beiden Schichten werden von Jahr zu Jahr größer.

Auf der Gegenseite wiederum findet man etwa 2 Millionen Menschen – 20 Prozent der Bevölkerung –, die unter der Armutsgrenze leben. Darunter befinden sich viele Elemente des traditionellen Lumpenproletariats und besonders viele Alkoholiker. In dieser Gruppe wird die Armut fortlaufend reproduziert, und die Kinder können nur selten aus diesem Teufelskreis ausbrechen. Jedoch ist auch die Zahl der neue Armen innerhalb dieser 20 Prozent der Bevölkerung beträchtlich. Das hat seinen Grund in ökonomischen und sozialen Anomalien. Viele alte Menschen beziehen niedrige Renten, die auch dann nicht ausreichen, wenn ihr Realwert erhalten werden kann. Die mittleren Renten, die jährlich nur um 2 Prozent aufgestockt werden, verlieren infolge der schon seit Jahren anhaltenden nahezu zweistelligen Inflation an Wert. Die häufigen Scheidungen, der Zerfall der Familien, die immer neuen Anstrengungen, eine Wohnung zu bekommen, haben ebenfalls in vielen Fällen zur Verarmung geführt. In einigen wirtschaftlich unterentwickelten Randgebieten des Landes – insbesondere in der Nähe der Landesgrenzen – fristen ganze Dörfer und kleinere Ortschaften ein schweres Dasein. Viele Bewohner solcher Regionen suchen Arbeit in Industriezentren. Als „Gastarbeiter" pendeln sie zwischen Wohn- und Arbeitsort. Auch bei an sich ausreichendem Einkommen kann bei dieser Lebensweise die Armut fortbestehen: Gewöhnlich hat es die zu Hause bleibende Familie recht schwer.

Doch zwischen den beiden Extremen ist die heutige ungarische Gesellschaft sehr homogen. Dies überrascht sogar jene, die von Anfang an verkündet hatten, daß die sozialistische Entwicklung die früheren Gegensätze und Unterschiede zwischen den Klassen und Schichten verwischen wird. Heute gibt es sehr wenige Familien, deren Angehörige jeweils nur aus Arbeitern, Bauern (Landarbeitern), Intellektuellen usw. bestehen. Es vermischen sich – wenn nicht innerhalb der Kleinfamilie (Eltern und Kinder), so doch im größeren Familienkreis – die Vertreter verschiedener Wirtschaftsbereiche, verschiedener Stufen der gesellschaftlichen Hierarchie, der nach allen möglichen Gesichtspunkten unterschiedenen sozialen Gruppen und Schichten. Bedeutung hat dies auch aus folgenden Gründen: Wenngleich die Möglichkeiten, Einkommen, Vor- und Nachteile in Industrie und Landwirtschaft, in Budapest und der Provinz, in Stadt und Land, in manuellen und geistigen Berufen, in Haupt- und Nebenbeschäftigungen usw. unterschiedlich sind, so werden die Folgen dieser Ungleichmäßigkeiten in den gemischten Familien mehr oder minder ausgeglichen. Das verringert die inneren Spannungen und stärkt den Zusammenhalt der Gesellschaft.

Zur Zeit der Beendigung des Manuskriptes hat, wenn auch keine unerwartete, so doch eine sich plötzlich beschleunigende, neuartige Belebung der Innenpolitik Ungarns eingesetzt. In Anbetracht dieser Ereignisse scheint nun nachträglich all das, was ich in diesem Kapitel – besonders bezüglich der letzten Jahrzehnte – geschrieben habe, etwas zurückhaltend. Würde aber jetzt angefangen werden, diese Belebung, deren Gründe und die möglichen Richtungen dieser Bewegung wie auch die Verschärfung der Kritik über die jüngste Vergangenheit und die Merkmale der gesuchten Alternativen zu analysieren, so würde dies den Rahmen unseres Buches sprengen. Die Geschichte von morgen ist hier noch die Geschichte von heute; das kontinuierliche Geschehen kann noch nicht als Geschichte festgehalten werden. Zu erwähnen ist dennoch das Folgende:

1. Die Unbrauchbarkeit und der Konkurs des bislang befolgten bzw. als Ziel ausgegebenen Modells werden ausgesprochen. Radikale Änderungen werden vorgenommen, die mit einer Demokratisierung und Verjüngung sowohl im Staatsleben als auch im Parteiapparat einhergehen. Binnen Monaten kommt es zur Neubesetzung der Ämter des Staatsoberhauptes, des Parteichefs und des Ministerpräsidenten. All dies geschieht im Zeichen einer unaufschiebbar gewordenen Beschleunigung des Reformprozesses, in der Hoffnung auf die Möglichkeit der Herausbildung eines neuen politischen Konsenses und einer neuen gesellschaftlichen Koalition. Damit ist der als Kádár-Ära bezeichnete Zeitabschnitt – schon vor János Kádárs Tod im Juli 1989 – auch formal zu Ende gegangen.

2. Da sich dies jedoch als unzulänglich erweist, setzt – etwa als zweiter Schritt – eine grundsätzliche Umbe-

wertung von 1956 und eine politische wie juristische Rehabilitierung der Teilnehmer des Volksaufstandes ein. Im Zusammenhang damit kommt es zur nochmaligen, feierlichen Bestattung von Imre Nagy, dem damaligen Ministerpräsidenten, sowie all jener, die zusammen mit ihm hingerichtet wurden.

3. Inzwischen verpflichtet sich die USAP – nicht ohne Zögern und im Schatten einer drohenden Parteispaltung – zur Einführung des Mehrparteiensystems, zur Aufgabe ihrer in die Verfassung hineingezwungenen Rechte und zur Abschaffung des Einparteienstaates.

4. Die Debatten im Parlament werden lebhafter, trotzdem diskutiert man darüber, ob die Vorbereitung und die Verabschiedung des neuen Grundgesetzes und anderer wichtiger Gesetze im Rahmen oder außerhalb dieses Gremiums oder aber nach neuen Wahlen erfolgen sollen. Eine ganze Reihe von parteiähnlichen Organisationen und wiederaufgelebten alten Parteien ist in Erscheinung getreten und ringt mit dem Mangel an Erfahrung in der politischen Praxis. Es wird klar, die Zeit hat nicht nur die machthabende Partei, sondern auch die von der Macht Ferngehaltenen weitgehend zerstört. Manche „Nostalgie-Partei" kann – bis auf ihren Namen – nichts anderes vorweisen als vergreiste Veteranen und unerfahrene Neulinge. Auch die Gewerkschafts- und die Jugendbewegung entgehen nicht dem Prozeß der Pluralisierung und befinden sich derzeit in einem Gärzustand. Der sich verschlechternde Zustand der Wirtschaft verlangt nach politischen Kompromissen, während zur Durchführung normaler politischer Verhandlungen und Interessenabstimmung Routine und Zeit nötig wären.

5. Die Einführung eines für die ganze Welt gültigen Reisepasses – ein grundlegender Faktor der Geltendmachung der Menschenrechte – rief als ökonomische

Nebenwirkung einen enormen Ansturm der ungarischen Einkaufstouristen im westlichen Ausland hervor. Zugleich stellt Ungarn ein Einkaufsziel für Touristen aus östlicher Richtung dar.

6. Ungarn versucht, sich auf den für 1992 geplanten Binnenmarkt der Europäischen Gemeinschaft vorzubereiten. Ein Beitritt als vollberechtigtes Mitglied gilt als utopisch, eine Art von „assoziierter Mitgliedschaft" jedoch ist – obwohl politisch schwer zu handhaben – praktisch unausweichlich.

7. Aus Rumänien flüchten zahlreiche Menschen ungarischer – teilweise auch rumänischer und deutscher – Nationalität vor der Misere, der Zwangsumsiedlung und vor der allgemeinen politischen und nationalen Unterdrückung nach Ungarn; teils um hier um Lebens- und Arbeitsmöglichkeiten zu bitten, teils um von hier aus weiterzugehen. Dieses rechtlich wie menschlich schwer zu handhabende Problem läßt eine Reihe von Fragen innen- wie außenpolitischen Charakters in einem neuen Licht erscheinen.

8. Die innere Notwendigkeit von Reformen wird vorerst von der Achse Moskau–Warschau–Budapest grundsätzlich anders beurteilt als von der Achse Berlin–Prag–Bukarest. Der Schnittpunkt dieser beiden Achsen ist einstweilen unbekannt; dies ist ein geheimnisvolles „x" einer Gleichung mit mehreren Unbekannten.

9. Die Demontage der technischen Grenzsperre an der ungarisch-österreichischen Grenze ist in den Augen vieler ein wirkliches Durchbrechen des verrufenen – allerdings seit langem ohnehin schon rostig und löchrig gewordenen – „eisernen Vorhangs". Für Ungarn ist dies eine praktische wie auch prinzipielle Frage. Nur so ist eine gemeinsame Weltausstellung Wien–Budapest im Jahr 1995 oder die Errichtung eines nationalen Naturschutzgebietes um den Neusiedler See – dem ersten, bei

dem keine Staatsgrenzen beachtet werden – vorstellbar. Und selbst wenn die Staatsgrenzen weiterhin korrekt bewacht werden, soll Ungarn – nur aus der Erwägung heraus, daß in anderen Ländern die Ausreisen noch beschränkt werden – die Rolle eines „internationalen Gendarmen" übernehmen?

10. Im Zeichen ihrer neuen Außen- und Verteidigungspolitik verringert die Sowjetunion die Zahl ihrer seit 1954 auf ungarischem Territorium stationierten Streitkräfte und wird sie hoffentlich in absehbarer Zukunft völlig abziehen. Unterdessen vermindert auch Ungarn – allein schon aus wirtschaftlichen Gründen – seine Streitkräfte und kürzt die Gelder für Verteidigungszwecke.

Ungarn wird gegen Ende der achtziger Jahre von den Besuchern, gleichviel ob aus Ost oder West, vielleicht unbeschwerter, von seinen eigenen Bürgern vielleicht düsterer betrachtet. Wessen Urteil ist nun stichhaltiger? Ich gestehe, ich weiß es nicht. Aber wir sind ein offenes Land: Jeder ist willkommen, um persönliche Erfahrungen zu machen. Und die Besucher kommen in Scharen. Ungarn hat heute 10,5 Millionen Einwohner – so hoch etwa ist auch die Zahl der ausländischen Gäste, die das Land Jahr für Jahr besuchen.

So stehen wir nun da im östlichen Mitteleuropa, inmitten des Karpatenbeckens, nur wenige Jahre vor dem Elfhundert-Jahr-Jubiläum der ungarischen Landnahme und nicht viel weiter vor der Wende vom zweiten zum dritten Jahrtausend unserer Zeitrechnung. Dann werden wir zugleich das Millennium der ungarischen Staatsgründung begehen, die mit der Krönung Stephans des Heiligen vollzogen wurde.

Am 23. Oktober 1989, am Jahrestag des Volksaufstandes 1956, wurde die Republik Ungarn proklamiert.

228

Regententabelle

Arpaden

Árpád, Fürst	um 886–907
Zolta, Fürst	907–946
Falacsi (Fajsz), Fürst	948–um 955
Taksony, Fürst	um 955–um 972
Géza, Großfürst	um 972–997
Stephan I. der Heilige, Großfürst	997–1000
König	1000–1038
Peter (1. Regierungszeit)	1038–1041
Samuel Aba	1041–1044
Peter (2. Regierungszeit)	1044–1046
Andreas I.	1046–1060
Béla I.	1060–1063
Salomon	1063–1074
Géza I.	1074–1077
Ladislaus I. der Heilige	1077–1095
Koloman der Bücherfreund	1095–1116
Stephan II.	1116–1131
Béla II. der Blinde	1131–1141
Géza II.	1141–1162
Stephan III.	1162–1172
Ladislaus II.	1162–1163
Stephan IV.	1163–1165
Béla III.	1173–1196
Emerich	1196–1204
Ladislaus III.	1204–1205
Andreas II.	1205–1235
Béla IV.	1235–1270
Stephan V.	1270–1272
Ladislaus IV. der Kumane	1272–1290
Andreas III.	1290–1301

Könige aus verschiedenen Häusern

Karl I. Robert von Anjou	1301–1342
Wenzel von Böhmen	1301–1305
Otto von Bayern	1305–1307
Ludwig I. der Große von Anjou	1342–1382
Maria von Anjou	1382–1395
Karl II. der Kleine von Durazzo	1385–1386
Sigismund von Luxemburg	1387–1437
Albrecht von Habsburg	1437–1439
Władysław I. Jagello	1440–1444
Ladislaus V. Postumus von Habsburg	1440–1457
Matthias I. Corvinus	1458–1490
Władysław II. Jagello	1490–1516
Ludwig II. Jagello	1516–1526
Johann Zápolya	1526–1540

Habsburger

Ferdinand I.	1526–1564
Maximilian	1563–1576
Rudolf	1572–1608
Matthias II.	1608–1619
Ferdinand II.	1618–1637
Ferdinand III.	1625–1657
Ferdinand IV.	1647–1654
Leopold I.	1655–1705
Joseph I.	1687–1711
Karl III.	1711–1740
Maria Theresia	1740–1780
Joseph II.	1780–1790
Leopold II.	1790–1792
Franz	1792–1835
Ferdinand V.	1835–1848
Franz Joseph	1848–1916
Karl IV.	1916–1918

Staatsoberhäupter seit 1919

Mihály Graf Károlyi	1919
Sándor Garbai	1919
Miklós Horthy	1920–1944
Ferenc Szálasi	1944–1945
Zoltán Tildy	1946–1948
Árpád Szakasits	1948–1950
Sándor Rónai	1950–1952
István Dobi	1952–1967
Pál Losonczi	1967–1987
Károly Németh	1987–1988
Bruno F. Straub	1988–1989
Mátyás Szűrös (provisorisch)	1989–1990
Árpád Göncz (provisorisch)	1990–

Regierungschefs seit 1945

Zoltán Tildy	1945–1946
Ferenc Nagy	1946–1947
Lajos Dinnyés	1947–1948
István Dobi	1948–1952
Mátyás Rákosi	1952–1953
Imre Nagy	1953–1955
András Hegedüs	1955–1956
Imre Nagy	1956
János Kádár	1956–1958
Ferenc Münnich	1958–1961
János Kádár	1961–1965
Gyula Kállai	1965–1967
Jenő Fock	1967–1975
György Lázár	1975–1987
Károly Grósz	1987–1988
Miklós Németh	1988–1990
József Antall	1990–

Mátyás Rákosi	1945–1956
Ernő Gerő	1956
János Kádár (erster Sekretär)	1956–1985
(Generalsekretär)	1985–1988
(Vorsitzender)	1988–1989
Károly Grósz	1988–1989

Appendix

Liste der Parteien, die aufgrund einer repräsentativen Erhebung (Oktober–November 1989) mit mindestens 4 Prozent der Stimmen bei den bevorstehenden freien Wahlen rechnen können.

Fiatal Demokraták Szövetsége (FIDESZ) = Bund Junger Demokraten

Független Kisgazdapárt (FKgP) = Unabhängige Partei der Kleinen Landwirte

Független Magyar Demokrata Párt = Unabhängige Ungarische Demokratische Partei

Kereszténydemokrata Néppárt (KDNP) = Christlich-Demokratische Volkspartei

Magyar Demokrata Fórum (MDF) = Forum Ungarischer Demokraten

Magyar Szocialista Munkáspárt (MSZMP) = Ungarische Sozialistische Arbeiterpartei

Magyar Szocialista Párt (MSZP) = Ungarische Sozialistische Partei

Magyarországi Szociáldemokrata Párt (SZDP) = Sozialdemokratische Partei Ungarns

Szabad Demokraták Szövetsége (SZDSZ) = Bund Freier Demokraten

Personenregister

Ortsregister

Anderssprachige Bezeichnungen wurden unter Hinweis auf die jeweilige Sprache angefügt: r. = rumänisch, ru. = russisch, s. = serbokroatisch, sl. = slowakisch, t. = tschechisch, tü. = türkisch. u. = ungarisch.

Inhalt

Printed in Hungary 1990
Druckerei Franklin, Budapest